普　天　之　下　·　盡　是　好　書

普天出版家族
Popular Press

和《盜墓筆記》一樣精采好看
比恐怖電影還要驚悚刺激

活祭之6

Sacrificial Offering

宿命與詛咒

湘西出土了轟動世界的寶物舍利子和玉玲瓏，
這兩樣寶物到底隱藏了什麼驚天秘密？
千年狐妖和神秘雪女又為何重現人間？
在一個神秘怪異的黑屋裡，任天行發現了三十四具乾屍文物，
誰知運往軍區後，乾屍在神秘簫聲召喚下，
竟然全部甦醒，成為瘋狂的殺人機器，一夜之間，軍區成了煉獄，三千多冤魂不散。
紅毛僵屍、五彩斑斕屍、五行人、吸血鬼、狐妖、雪女、巫蠱、降頭、術法、……
各種鬼怪都在湘西驚現，這裡儼然成為一個集聚恐怖、殺戮、未知的異度空間。
步步驚魂，層層殺機。伴隨著驚險刺激的場面，
九菊派組織的絕密陰謀——活祭計劃漸漸浮出水面……

通吃小墨墨【著】

【出版序】

看過《盜墓筆記》，一定要看《活祭》

死屍客棧鬼影幢幢，鳳凰古城殺機層層，神秘的湘西上演一齣齣鬼哭神嚎、天人交戰的恐怖劇。看過《盜墓筆記》，一定不能錯過融合考古、探險、懸疑、靈異的《活祭》！

獵奇是人類的天性，只要能滿足人類這種好奇天性的產品，就一定能火紅。書籍也是如此，盜墓文學在華文世界颳起超強旋風，就是很好的例子。盜墓小說中的優秀作品《盜墓筆記》、《鬼吹燈》、《守陵人》……等書，不斷製造新奇的鬼怪、驚險的歷程、勁爆的情節，不僅獲得大批喜歡神秘、驚悚元素的讀者青睞，旋風還吹向電影、電視等平台。

就在盜墓小說如火如荼延燒之時，一位打著「考古驚悚小說家」旗號的網路作家「通吃小墨墨」卻公開撰文批判，奚落那些以盜墓為題材的小說內容庸俗至極，沒有任何文學價值，就連故事劇情都是邊編邊寫的，「就像芙蓉姐姐不知廉恥的天天擺出一身肥肉，強姦眾人眼球，成爲了眾人無所事事之時唾罵、發洩的對象。唾罵之後，漸漸的，就會風光不再」。

這篇文章火力四射，文字辛辣，極盡批鬥之能事，把一堆盜墓小說作家罵得比狗血淋頭還要慘，通吃小墨墨並且標榜自己是「盜墓小說的終結者」，將用驚悚鉅作《活祭》中的科學推理故事「截斷不入流的盜墓小說」。

通吃小墨墨不但揚言要「終結盜墓小說」，還大張旗鼓，公開向知名作家南派三叔嗆聲，調侃他寫的《盜墓筆記》是剛及格的小學生作文。接著，兩人不斷同台較勁，一時之間，《活祭》ＰＫ《盜墓筆記》的戲碼鬧得沸沸揚揚。

透過大罵南派三叔和《盜墓筆記》，果然使《活祭》迅速闖出名號，吸引大批讀者一觀究竟，銷售量迭創佳績，直逼《盜墓筆記》。

儘管有人認爲這種花招太庸俗，通吃小墨墨和南派三叔兩人唱雙簧，簡直把影藝圈炒作八卦新聞那套移植到圖書產業，不過，也有人認爲這種綜藝化的行銷手法相當高明，只要能捧紅真正具有才華的作家，又有什麼不可以？

通吃小墨墨是誰，竟然敢單槍匹馬拼鬥群雄，還不時把南派三叔當箭靶？

罵人是需要本錢的，不然只會讓人看笑話；想力戰群雄也需要高超的能耐，花拳繡腿是上不了檯面的。無疑的，通吃小墨墨具備了罵人與力戰群雄的本事，台灣讀者對他或許比較陌生，但在中國大陸，他可是實力派的超人氣網路作家，擅長寫考古驚悚小說。

通吃小墨墨，原名黃曉鋒，出生於美麗又神秘的廣西自治區柳州市，二〇〇六年開始在17K、新浪、搜狐等原創網站發表長篇小說《玲瓏血》、《第五種人》和《活祭》，一年之內文字發表量超過兩百萬字，形成了自己故事精彩、想像力奇譎和知識領域廣闊的寫作風格，受到網友瘋狂追捧。

通吃小墨墨雖然一再強調要截斷不入流的盜墓小說，但是《活祭》卻被定位爲「後盜墓時代開山之作」，新書發表會也很特別，特地選在北京首家「黑暗餐廳」舉行。由他和南派三叔展開一場針鋒相對的記者會，兩大寫作高手就盜墓文學的火爆、靈異事件的真僞，以及《活祭》中談到的「湘西趕屍」等情節進行全面解讀。此後，兩人經常連袂接受媒體採訪，彼此之間的PK大戰也越演越烈，從記者會一路打到網路世界，目前兩人正在部落格進行接文生死鬥，由此可見南派三叔對通吃小墨墨的評價與力捧程度。

《活祭》的場景設定在神秘的湘西，各式各樣的殭屍則是不可或缺的配角，連西洋的吸血鬼都趕來湊熱鬧；內容講述湘西出土轟動世界的寶物舍利子和玉玲瓏之後，各種恐怖、匪夷所思的事情接踵而來。

在一個神秘怪異的「死屍客棧」裡，「刀鋒戰警」任天行發現了三十四具古代乾屍，誰知運往軍區後，乾屍在神秘簫聲召喚下，竟然全部甦醒，成爲瘋狂的殺人機器，一夜之間，軍區成了人間煉獄，三千多條冤魂含恨不散。

腥風血雨之中，暗藏著龐大的陰謀與錯綜複雜的勾鬥。紅毛殭屍、五彩斑斕屍、五行人、吸血鬼、狐妖、雪女……各種鬼怪都在湘西驚現，這裡儼然成爲一個集聚恐怖、殺戮、未知的異度空間。

一幕幕靈異事件，一幕幕道家法術決戰東洋邪術，伴隨著驚險刺激的場面，日本九菊派組織的絕密陰謀——活祭計劃漸漸浮出水面。舍利子和玉玲瓏這兩樣寶物到底隱藏了什麼驚天秘密？千年狐妖和神秘雪女又爲何重現人間？「活祭」又是怎樣讓人毛骨悚然的恐怖計劃？

看過南派三叔的《盜墓筆記》，一定不能錯過融合考古、探險、懸疑、靈異的超人氣驚悚小說巨作《活祭》！

因爲，通吃小墨墨是南派三叔力捧的新銳作家，《活祭》則被讚譽爲新一輪盜墓小說代表作。因爲，《活祭》是唯一能和《盜墓筆記》媲美的精采小說，新浪網、搜狐網、中華網、起點中文、17K、中國經濟網、騰訊網、中安在線……等數十家知名網站爭相連載推薦，單單新浪網讀書頻道，點閱率就直逼三百萬人次。實體書出版後，佳評如潮，氣勢如虹，不論魅力或銷售數字，都直逼《盜墓筆記》。

死屍客棧鬼影幢幢，鳳凰古城殺機層層，神秘的湘西上演一齣齣鬼哭神嚎、天人交戰的恐怖劇。《活祭》的劇情曲折離奇，而且恐怖詭異，懸念不斷，高潮迭起，讓人體驗到毛骨悚然、頭皮發麻的感覺。整部小說中西合璧，故事精采絕倫，懸念迭出，比電影還要驚悚刺激。

南派三叔爲何如此力捧通吃小墨墨？通吃小墨墨又如何描述這些驚悚事件，如何從科學角度解釋考古過程中出現的靈異事件？

想知道答案，就趕緊翻開《活祭》一窺究竟吧！

目錄

【出版序】看過《盜墓筆記》，一定要看《活祭》

第126章　針鋒相對……015

櫻子臉色一紅，看著德川和這年輕人，冷哼了一聲。明明感覺到有人跟蹤，但是自己使出各種手段都沒有發現，難道真的是這個陣式的威力影響到自己判斷？她的信心不由得動搖了幾分。

第127章　賴八……025

賴八終於出現了！任天行卻愣住了。那個矮個的胖老頭，居然是這麼的熟悉，如果不是在這裡見到，他幾乎不敢相信，賴八就是他。又矮又胖的老頭，居然是茶館裡面的那個老闆！

第128章　雙方交手……035

櫻子臉上堆起了一絲絲的笑容，陰森森地笑了起來，兩顆眼珠變得幽幽的，盯在任天行的臉上。高老大臉色大變，急忙叫道：「小心她的勾魂眼！」

第129章 陰煞再現……045
這四個飛下來的東西，長得十分噁心人，頭比身子還大，眼睛黑洞洞的，一身黏糊糊的，還沾著血跡。除了這四個「養鬼仔」之外，櫻子又撒落三瓣菊花花瓣，喚來了三個「陰煞」。

第130章 母夜叉……055
櫻子緩緩地抬起頭，眼睛煥發出一種幽幽的綠光，原本紅色的嘴唇在這一刻也變成了綠色。整個人看起來顯得面目猙獰，一雙綠色的眼珠子比牛眼還大。夜叉，母夜叉！

第131章 我是殷小菡……065
這個女人赫然就是殷小菡！在黑屋中被長風超度的殷小菡，如今活脫脫地站在任天行的前面。如果這個人是殷小菡，那麼，黑屋裡面慘死的那個女人又是誰？難道……

第132章 破天……075
高老大拿出一枝晶瑩透亮的箭遞給任天行，這冰箭居然是用冰製成，裡面有一股紫色的液體，裹住紫色的液體的周圍，有一排密密麻麻的字，這就是破天研製的武器，叫誅仙箭！

目錄

第133章 獵人是誰……085

「獵人」是誰？這個神秘的人，有著操控萊恩集團、梅森集團以及日本山口組力量，這是一種什麼樣的權力？他們都知道其中的關鍵，面面相覷，神色凝重。

第134章 王婷婷的師父……095

任天行無語，臉上一紅一白的，心裡狂罵道：王婷婷這丫頭拳腳這麼厲害，這老頭居然說是她半個師父，還跟羅漢堂有關？靠，老子什麼時候闖到武俠世界來了，連少林寺都出來了。

第135章 破天基地……105

這個殷小菡，這個高老大，這個……破天，真他媽的變態。任天行加快腳步，離開了這個該死的破天基地，在這裡越久，他就感覺越不對勁，高老大這娘們，居然還叫他在五彩斑斕屍身上取點血液樣本。

第136章 聚霧成冰……115

四周的濃霧就像是被吸入氣牆裡面一般，源源不斷地往裡面投，凝結成一層層薄薄的冰，長風吸了一口冷氣，瞪大了眼睛看著這一奇景，根本不敢相信這兩人居然有這樣的能力，能聚霧成冰。

第137章 萬古 …… 125
萬古，是一個絕地，再往前，就是落差在一百多米、呈九十度的荒蕪大戈壁，下面有著綠得鮮豔的仙人掌和白森森的骨頭。再往前就會進入被稱為「死神禁地」的沙漠地帶，連死神都不敢去。

第138章 首長 …… 141
韋軍長向她們揮手之後，看著湘西的整個大地，會心一笑，這次的部署花費了自己二十多年的心血，如今，收穫就在眼前。就在韋軍長離開時候，殷小菡凝望著遠去的直升機，嘴裡發出冷冷的笑……

第139章 變異之謎㈠ …… 153
任天行是殭屍！郭心妍忽然覺得全身冰冷，她腦海裡第一個浮現的是萊恩家族的吸血殭屍，如果那些殭屍都跟任天行一樣，能在陽光下行走，具有人的特性，那麼，這個世界……

第140章 變異之謎㈡ …… 165
任天行變成殭屍，只有兩個疑點，一個是韋嘯天，另一個就是任天行到湘西之後的事情。韋嘯天位高權重，如果調查起他會牽涉到什麼樣的後果？

目錄

第141章　變異之謎（三）……175

院子裡面，一股輕微的呼吸聲逐漸響起，幾乎刺激著任天行身上的每一寸皮膚，每一個細胞。任天行和嘰咕心跳加快，他們聞到了死亡的氣息！那個輕微的聲音居然是五彩斑斕屍！

第142章　變異之謎（四）……185

任天行痛苦地悶哼了一下，鬆開了手，腰間冒出了殷紅的血，五彩斑斕屍的兩手正插在他的腰間。他被五彩斑斕屍高高地舉了起來，重重地摔在院子的地上。

第143章　變異之謎（五）……199

如果能把任天行變異的方式給找出來，那麼，對付這些殭屍綽綽有餘。湯瑪斯教授要尋找光明使者，即是為了消滅萊恩和梅森家族的那些吸血鬼，如果有幾個跟任天行一樣能力的人……

第144章　變異之謎（六）……209

是誰在設這個局？這就像是一個圈套一樣，一套套著一套，都圍繞著兩個人在轉。一個就是用巨大鐵鏈鎖住，被「如來般若咒」鎮在山洞中的楊落雪，另一個就是從一個神秘木牌裡破牌而出的魅姬。

第145章 奇怪婦人 …… 219
那孕婦一臉驚恐，軍醫給她做檢查的時候，發現她的瞳孔已經擴散，這就表示著，這人已經死了。但是意外的是，她又活了過來，右大腿內側缺了一大片肉，差點就看到骨頭，而手臂處，有兩個肉洞，就像是被子彈打進肉裡一樣。

第146章 死神禁地 …… 227
這片死神禁區，不到一個上午，已經吞下了四匹馬，這流沙是活的！兩人面對著就算是死神也害怕的流沙，居然面不改色，整個身子往前面飛，並排著踩著沙子狂奔。

第147章 萬古的古墓 …… 237
地下室，一盞明燈投射出幽幽的光芒。長明燈，是盜墓者最不願意看到的，凡是親手碰過長明燈的人，不是意外死亡就是身染重疾，又或暴斃而亡。這些死亡的人，都有一個特徵，就是眼睛化成一灘黑水。

第148章 八龍戲珠 …… 245
果然是「八龍戲珠」！八大石柱就像八條龍一樣，對應著八個方位，由長明燈照射而形成的八條影子，正不斷地晃動著。在場的眾人，都呆呆地望著天花板上的那些影子構成的絕世之作。

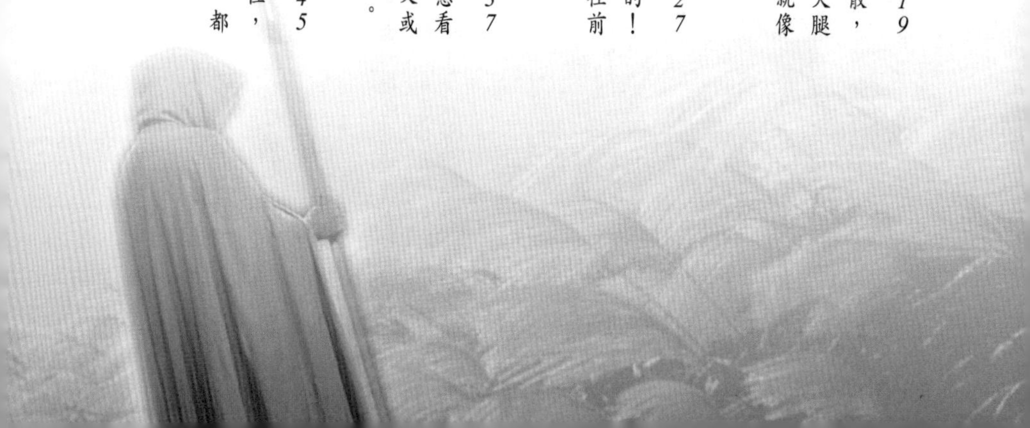

目錄

第149章 墓地屍變……255

那噴噠打在那乾屍的臉上，符咒因為年月已久，黃色符紙早就風化了，在這一吹之下，變成了灰燼。那具乾屍從石棺裡挺了起來，嘴裡吐出一口淡淡的氣，兩隻黑洞洞的眼睛看得人心裡發毛。

第150章 完顏渡劫……265

完顏渡劫眼睛裡充滿了殺意，緩緩地抬起手，指向王婷婷。失蹤了二十多年的父親重現眼前，第一句話就是要殺了自己心儀的女人，無論是誰，都無法接受這個事實……

第151章 宿命和詛咒……275

這個詛咒叫「萬世陰魔咒」！完顏渡劫的衣服下面，居然能看到白森森的骨架，一顆不停跳動的心臟清晰可見，除了心臟之外，裡面的所有內臟全部都是黑糊糊腐爛的肉……

第 126 章

針鋒相對

櫻子臉色一紅，看著德川和這年輕人，冷哼了一聲。明明感覺到有人跟蹤，但是自己使出各種手段都沒有發現，難道真的是這個陣式的威力影響到自己判斷？她的信心不由得動搖了幾分。

下午，陰天，偶爾飄著幾滴毛毛的細雨。這種雨後的天氣，沒有多少人外出，特別是在F縣這個地方，街上幾乎沒有人。

一個女人正在街道上趕路，手裡拿著一個菜籃子，裡面裝了一些剛剛買的菜。乍眼一看，這只不過是一個很普通的女人，三十多歲，一臉滄桑，臉上的皮膚都有點塌了，但是她卻有著一雙過分靈活的眼睛。

這個眼睛，此時不停地轉，暗地裡在觀察著四周，也就因爲這麼一雙眼睛，讓她在這裡待了十多年。

她似乎感覺到有人在跟蹤她，忽然間停了一下，偷偷地回轉過頭，但是後面一個人也沒有。空蕩蕩的，也許是自己太多疑了。

她煞有介事地整了一下自己的頭髮，然後繼續走，把衣領拉緊了一點，嘴角對著衣領輕聲地說了幾句話。

任天行緊緊地跟著她，絲毫不擔心自己被發現，因爲他開啓了「鬥」字訣之後，自己的潛能居然能控制自如，好幾次快被前面的女人看到的時候，只要微微一收，整個身子就像鬼魅一樣，一下間閃到自己想到的地方而不發出一絲一毫的聲音。

只是，這個女人實在太高明了，整整在這附近繞了一個大圈，這是一種非常高明的反跟蹤手段，如果不是任天行，說不定還真被她騙了，以爲自己跟錯人，甚至跟丟了人。

終於，她走進了一個小巷裡面，一下間就不見了，任天行停了幾秒鐘，走入小巷的時候，一道紅光迎面而來，打在他的胸膛上。

「嗞嗞嗞嗞！」一個圓形的印記深深地印在他胸膛上。

任天行被打中之後，急忙閃到邊上躲了起來，看著胸膛上的那個圓形印記，用手抖了抖，胸膛的衣服上一片燒焦的味道，胸口有點麻麻的，其他的毫無大礙。

只是這一下，任天行嘴角不禁微微上翹，不怒反笑，兩顆牙齒在微笑的時候暴露在空氣中，果然沒錯，是她！

小巷的另一頭，那個女人探頭往巷子裡看了幾眼，看不出什麼名堂，不禁加快了腳步，耳邊傳來了一沉沉的聲音：「怎麼沒有反應，是不是妳太多疑了？」

那女人整了整衣領，對著衣領上一個有麥克的儀器低聲道：「不知道，小心爲上。今天感覺有點不對勁！」

「當然不對勁，今天是我們七煞幽冥陣的最後一天，再過半個小時，整個陣式就是陽氣最高的時候，你們女人屬於陰體，受不了很正常，嘿嘿嘿！」

「德川先生！現在逞口舌之利，對我們雙方的合作沒有絲毫的好處。萬一真的是有人跟蹤我，這事情就大了！」

沉默了一下，那女人耳朵裡的耳機傳來冷笑聲：「F縣有誰有這麼大的本事，能跟蹤妳而不被妳發覺？」

「這F縣有一個叫長風的怪傢伙，這小子不好惹。除了這個人之外，中方的兩個秘密部隊，刀鋒和龍牙的精銳早就到了F縣，甚至，還有幾個同道中人！」

「你們女人就是多疑！我在巷子前面布的那道符，只要是有人來，不管是誰，都會讓他好受，但是現在一點反應都沒有！刀鋒的那些臭員警不足爲患，龍牙的那些人也是小菜一碟，至於那幾個同道中人，咱們自然有人對付他們。」

那女人冷笑了一下，說道：「不足爲患？你們黑府的大將是落在誰的手上？雙子是怎麼被他們擒住的？哼！」

兩人針鋒相對，各自逞嘴牙之利，那女人似乎確定了沒有人跟蹤，沿著馬路從一個很不起眼的門走了進去。

這個門，是一個酒店的廚房的後門。

任天行撿起了幾個小石子，把門口那幾盞暗藏得很隱蔽的電眼給打歪，然後趁機閃了進去。

靠著經驗，任天行進入酒店之後，並不急於找那個女的，而是冷靜地躲到一個死角，仔細看著各處，還皺眉把眼光給聚成一條線，靠著酒店的各種反光元素，包括玻璃、光滑的地板，甚至牆角的裝飾物等這些東西的反射，來勘察情況。

這種本事，普通員警根本沒法做到，就算是飛虎隊也沒有資格學。特種部隊中，能夠掌握這種技巧的，少之又少。

靠著這樣的勘察，他發現了幾個隱蔽地方的電眼。心裡大致瞭解了一下之後，悄悄地趴在地上，用耳朵靜靜地聽著地上傳來的聲音。

最後起身之後，心裡算著那電眼的轉動方向，然後利用空隙的時間，一個身影，躲過了電眼的掃描，仗著高明的追蹤本領，來到東側的一個房間裡面，閃了進去。

這個房間是服務員的更衣室，把一個服務員打暈之後，他藏在衣櫃裡換上了服務員的衣服，端著一水瓶，悄悄地一個屋子一個屋子地探查。

那女人剛剛進了客房，把菜籃子放下之後，把上面的菜都拿了出來，菜的下面，堆著幾樣東西。

她掏出來之後，看著一個年輕人說道：「東西都齊了！」

「牛眼珠，黑狗血，白公雞爪，檀香粉，朱砂，雄黃，還有這個，」她突然把兩個紅色的袋子扔給一個人，冷笑著用日語說道，「你要的血漿！」

「才兩袋？」另一個男人不屑地看著手上的東西。

「才？」她不禁來氣，譏笑道，「你要是有本事，怎麼不自己去弄！」

那男人臉色一變，怒色立起，盛氣凌人地罵道：「八嘎！我要是會講支那語，還用得著妳說？」

那女人臉色一沉，眼裡閃過一絲兇狠的眼光，這一下，倒是讓這男的愣怔了一下，囂張的氣焰減了幾分。

年輕人嘻嘻哈哈地把話題接了過來，笑眯眯地說道：「兩位，兩位，這是幹嘛？德川先生，櫻子小姐也不容易，您剛來，還不知道這裡的情況，F縣這幾年對我們查得非常緊，這血漿也非常難弄，您體諒體諒。」

德川乾笑了幾下，轉臉對那女的說：「櫻子小姐，我們跟萊恩家族的合作正在緊要階段，這個時候，一定要滿足他們的要求，起碼要解決了他們的溫飽問題。」

那女的居然是櫻子！任天行在門口心裡不禁跳了一下，原來自己猜得沒錯。這麼說，自己在別墅那裡抓到的澤田櫻子是假的！

沒理由，絕對沒理由！李寶國用他的異能親自審問的，就算再高明的特工，受過N次抵抗訓練的特工，能逃過測謊儀，能挨得住嚴刑拷打，但是，只要有思想，就一定逃不過李寶國的異能。

那，這樣的話，只有兩個說法能說得通。第一，有兩個櫻子！第二，九菊派爲首的這個人，拿櫻子來當幌子。

任天行跟櫻子第一次交手，是爲了那把槍的事情，根本沒看到本人，只是感覺到這個人的存在。

在別墅捉到那個櫻子的時候，總感覺有什麼不對勁，現在終於想起來了，抓到的那個櫻子，跟自己當時感覺到的不是同一個人。

照這麼說，這兩個可能性都存在。

櫻子不冷不熱地看了一下這個人，淡淡地說道：「我們之間的事情，還輪不到你來擔心。萊恩家族的人可不是吃素的，就算我不弄血漿給他們，他們兩個也有辦法解決他們的食物。」

「那是，那是！」這年輕人臉不紅心不跳，乾笑了幾下，說道，「不過，有點不妥。咱們跟殷達明鬥了十多年，還沒把他解決掉，反而被他將了一軍，現在好不容易把他給困住，只要再過半個小時，就能收拾他了。如果在這個關鍵的時候，萊恩那邊要是自己解決他們的問題，只要露出一點馬腳，我們的行蹤就會暴露。」

「這樣對我們沒有一點好處！」這年輕人笑眯眯地繼續說，「家師在我來之前就告誡過我，殷達明這人很不簡單，要步步爲營。」

說到殷達明，原本心高氣傲的櫻子，臉色微微地沉了一下。就連那個盛氣凌人的德川，也沉默了一下。看來，這個年輕人的話，倒是起了效果。

德川仰面哈哈大笑，掩飾住自己的尷尬，笑道：「賴先生師徒兩人果然是絕世高人，這個陣式厲害至極，就連平時號稱日本最神秘的九菊派櫻子小姐，也受不了這陣式的陽氣，不然，怎麼會疑神疑鬼的呢？」

櫻子臉色一紅，看著德川和這年輕人，冷哼了一聲，但是卻沒有話說，這種事情，從來沒有遇到過。明明感覺到有人跟蹤，但是自己使出各種手段都沒有發現，難道真的是這個陣式的威力影響到自己判斷？她的信心不由得動搖了幾分。

德川這麼一說，就連那個年輕人心裡也泛出了不爽之色，再看到櫻子對自己不滿的臉色，心裡一震，不禁罵了德川十八代祖宗：「我操你個德川，明明是你們兩個人之間的恩怨，現在嫁禍到我頭上來了。師父果然說得沒錯，這幫人，不是老奸巨猾的就是胸襟狹隘，看來自己要小心謹慎，不能自大。」

想到此，這年輕人急忙搖了搖頭，說道：「不敢當！不敢當！這個陣式是家師的得意之作，布了這麼多年，今天是最後一天，希望能把殷達明給鎮住。雖然如此，以櫻子小姐的道行，還不至於受到影響。櫻子小姐被人跟蹤，一定有原因的，咱們更是要小心……」

這麼一說，櫻子臉色果然好了不少，在外面偷聽的任天行心裡不齒，這幫人沒一個是好鳥，這個年輕人被德川嫁禍之後，最後居然把這燙手的山芋丟給了他師父，嘿嘿！看來，他師父也好不到哪裡去，所謂上樑不正下樑歪。

櫻子看了他們兩人一眼，轉頭到電話旁邊，拿起電話打了起來。

這電話是打給這個樓裡面負責用電眼監視的那些人，幸好任天行經驗老到，不然早被那些電眼發現了。

第 127 章

賴八

賴八終於出現了！任天行卻愣住了。那個矮個的胖老頭，居然是這麼的熟悉，如果不是在這裡見到，他幾乎不敢相信，賴八就是他。又矮又胖的老頭，居然是茶館裡面的那個老闆！

櫻子見那些人沒發現什麼特殊情況，安了一下心，放下電話之後，對那年輕人說道：「東西都齊了，咱們開始吧！」

「現在？不行！」那年輕人搖了搖頭，說道，「要等家師來了才能開始，我的道行還不夠。」

櫻子一臉不滿，到了關鍵時候，還磨蹭磨蹭的，一點都不心急！心裡雖然這麼想，卻沒有說出來，臉色沉了一下，最後還不得不迎面淡笑道：「你師父是世外高人，也是我們九菊派一直敬重的前輩，沒有他在自然不行。以他的身份和地位，還不至於壞事。」

德川聽聞之後，煞有介事地點頭應和，只是眼裡的那股笑意十分的濃。櫻子自然知道他在笑什麼，不禁惡狠狠地給了他一個白眼。

這時，房間裡的電話突然間響了，櫻子接過電話之後，對那年輕人說道：「你師父來了！」

說話間，幾聲輕微聲音從門外傳來，一個矮老頭，胖乎乎的，蹣跚走到門口。

「師父！」那年輕人見到這老頭，收起了嬉皮笑臉，老老實實地站在一邊請師父進房。櫻子和德川也非常有禮貌地迎上，低頭問候：「賴老先生！」

這位賴老先生沒有理會他們，反而在門口四周轉了一圈，敏感的鼻子輕微地皺了皺，似乎聞出了點什麼。

眾人面面相覷，德川跨上一步，笑道：「久聞賴老先生大名，在我們日本長崎，我們黑府德川老師常說，當世間，讓他最敬佩的人，賴老先生是第一位，也是唯一一位。德川賴戶有幸一睹賴老先生大名，乃三生榮幸。」

這賴老先生聽不懂日語，先是一愣，然後轉頭問那年輕人道：「三生，這小日本鬼子說什麼鳥語？」

「是，師父！」賴三生點了點頭，把德川的話原封不動地翻譯給他聽。

櫻子露出一臉鄙夷，這德川賴戶一臉恭維馬屁之色，表露得淋漓盡致，不禁對他們幕府的人評價又下降了幾分。

賴老先生呸了一下，冷笑道：「德川家健那老不死的還沒死？真是命長得很，不過也快了，過不了今年！」

賴老先生低沉地說道：「三生，問問他，我那筆錢什麼時候到帳！」

賴三生用日文對德川賴戶嘰哩呱啦說了一陣，然後說道：「師父，他說等今天過後，事情辦妥了，錢馬上到帳！」

「辦妥？嘿嘿，哈哈哈！跟他說，德川家健這老傢伙答應我，只要我出手就會先把錢給我。現在要辦完，還要辦妥了才給，嘿，好樣的！徒兒走，人家信不過我咱們，咱們何必蹚這淌渾水。」

德川賴戶聽完賴三生的翻譯，一臉驚慌，低聲下氣道：「沒有沒有！絕對沒有這個意思。只是，現在F縣風聲這麼緊，這個手續不好辦！」

賴老先生似笑非笑地看著德川賴戶，嘿嘿地譏笑了兩聲，轉身就出門，嘴裡哼哼道：「對我使這樣的手段，你們也太嫩了點！」

這一走，德川和櫻子都傻了，兩人好久才反應過來，急忙追了過去，勸道：「賴老先生，有話好說！有話好說！」

賴老先生嘴裡冷哼了一下，不理他們，賴三生扶著他師父，對他們淡淡地說道：「我師父累了！」

「賴老先生！賴老先生！……」

「我師父說，你們一個是號稱日本最神秘最厲害的九菊派，殺人於無形，特別是櫻子小姐更是獨樹一幟，另一個是日本最古老的黑府忍者裡面的人，厲害得緊，自己搞定殷達明就行了。」

德川和櫻子兩人臉一紅，原本想用這手段讓賴老先生多盡點力，誰知道他不吃這一套，無奈道：「賴老先生，這個錢的問題容我再跟我老師談談，馬上溝通，馬上！」說完，不管同意不同意，德川先拿出手機撥了一個電話。

賴三生在他師父耳邊嘀咕了幾下，然後抬頭說道：「現在給，要加五成！」

「五成？」櫻子失聲叫了一下。

看著賴八師徒倆見自己不答應，理都不理就轉身走了，櫻子傻眼了，最後狠一咬牙，說道：「好，就多加你五成！」

「嘿嘿，早這麼乾脆，大家就不用撕破臉皮了嘛！」那賴老先生眼睛一亮，笑呵呵地說。

櫻子瞪著大眼睛，狠狠地盯著他說道：「不過，有話在先，加你錢沒問題，你要是辦不好，你會付出慘痛的代價。哼！」

眾人回了房間之後，最後一個進去的，還是賴老頭。他在門口又嗅了幾下。

賴三生奇怪地問道：「師父，有什麼不對？」

「沒事！」賴老先生沒好氣地白了一眼。他看出了點端倪，但是分不出這種氣味的來源，心裡奇怪道：既不是人氣，也不是鬼氣，更沒有屍氣，這是什麼氣味？

難道是自己多疑了？

而早就躲在一旁的任天行見狀，心裡慶幸道：「幸好先躲了起來，不知道這個老頭有多厲害。」

他在這老頭靠近酒店的時候，就已經有感應了，便急忙找了個躲藏的好地方，把自己先藏了起來。

等他聽到這些人對話的時候，心裡想道：那個年輕人叫賴三生。賴八終於出現了！終於出現了！

任天行趁著他們進入屋內的時候偷偷探頭，終於看到了那個老頭，但是，他卻愣住了。那個矮個的胖老頭，居然是這麼的熟悉，如果不是在這裡見到，他幾乎不敢相信，賴八就是他。

他，一個又矮又胖的老頭，居然是茶館裡面的那個老闆！

過了不久，房間裡輕微地傳來那個矮胖子得意豪爽的笑聲，德川心裡雖然恨得牙癢癢，臉上卻皮笑肉不笑地映襯著。

「三生，我們開始，等這一天，我等了許多年！」

「是，師父！」

任天行偷聽到他們說的「七煞幽冥陣」，單是這名字就夠嚇人的，心裡暗想，這幫人渣秘密地做這些事，想來也不是什麼好事。

不行，一定不能讓他們得逞。正好，那門沒有關緊，門縫微微開著，任天行通過門縫，偷看他們怎麼布這個「七煞幽冥陣」。

地面鋪了一匹黃色的布，上面赫然畫著陰陽兩極圖案，胖老頭盤坐在上面，只見他把檀香粉往四周一撒，整個屋子就像染上了一層紅霧，然後在一個碗裡面倒了一些不知名的東西，把白公雞爪、牛眼珠都放進去，用朱砂把碗的外面給塗上一層，然後咬破自己的手指，在黃紙上寫了一道符咒。

輕輕一揮，那符咒就燃了起來，然後飄到碗裡，碗裡跟著這符咒燃燒了起來，透出一股異味。

「三生，護法！」

「是！」

任天行凝神看去，那賴三生三十多歲，長相普通。可能是因爲酒色過度，一臉乾黃，加上他小小的眼睛和厚厚的嘴唇，讓人一看，就覺得他不是什麼好東西。

賴三生不知道從哪裡拿出了一把桃木劍，全神貫注地盯著四周。

三分鐘之後，任天行心裡微微一怔，感覺到屋裡傳出了一股很怪異的力量，透過牆壁，緩緩地升空。

這股力量就像是點燃了汽油一樣，向四周擴散，而且速度非常快。

動作更快的，卻是嘰咕，這個一直沉睡不理人的傢伙，此時卻突然間醒來。透過任天行的皮膚，嘰咕的巨大的潛力幻化成一個網的形狀，呼的一下離開了任天行，追著那股力量而去。

任天行正想喚住嘰咕，只是嘰咕都不正眼看他，一胖乎乎的身子，錐形的腦袋晃悠晃悠地就閃過。

「這小子，越來越不聽話！」任天行心裡剛剛埋怨了一下，一股涼氣突然間衝上了心裡。這股涼氣居然是來自嘰咕，而讓任天行心寒的是，這股涼氣就像是一個警告一樣。

嘰咕的脾氣什麼時候變得這麼差?僅僅是爲了一句話?

房間裡傳出的力量越來越大，就像是湧出來一樣，嘰咕的網雖然大，但是還是沒能全部籠罩，由於兩股力量相互碰撞，空氣中隱隱傳來「劈啪、劈啪」的聲響。

屋裡的人也感覺到了，櫻子和德川以爲是賴三生的師父施法所爲，而那矮胖子以為是自己施法的力度不夠，兩手不停地在忙，閉著眼睛，嘴裡念念有詞。

任天行知道，這個陣式已經開始了，正想動手去阻撓他們，樓下一陣急促的腳步聲傳了上來。

一個黑色的人影閃到任天行面前，一晃悠，兩手已經抓在任天行的胸膛上。

任天行早就做好了準備，暗地裡做好了提防，手裡那壺茶水卻端了起來，裝作服務生要進客房給客人倒水一樣。被這黑影的兩手一抓之後，他從這個人的氣勢、手法和力度判斷出來，這個人不是偷襲他，反而是把他推開。

果然，任天行很配合地順著來人推他的力道，後退了一步，定眼一看，居然是一個穿著黑色衣服、一頭長髮披肩的美女，一張花容月貌的臉上，兩隻眼睛發出精光，兩眉之中透出強烈的英氣。

這女的推開任天行之後，玉手捂住任天行的嘴，另一隻手拿出證件晃了一下，低聲道：「員警！不許出聲！」

這女的見到服務員慌張地點點頭，滿意地點了點頭。跟隨她來的，一共七個人。短短的瞬間，任天行發覺，屋裡的四個人已經發現有人來了，賴三生、櫻子和德川已經閃到了隱蔽的地方。

這女的做了個手勢，後面的三個員警相視一眼之後，拿著散彈槍準備，一個員警猛地一腳把門給踹開。

「嗞嗞！砰！」

踹門的這員警的腳剛剛碰到門，就像碰到了幾十萬伏的高壓電一樣，全身嗞嗞地響，一股電流從他身上傳來，不到一秒的時間，就像被人從高空拋下來一樣，砰的一聲，整個身子就像彈簧反彈回去，狠狠地撞在走廊的牆上，那牆轟的一下，隱隱有破裂的聲音。

帶著骨頭粉碎的聲音，這員警根本來不及哀叫，整個身子就像一團肉泥一樣掉在地上。靠近他身邊的兩個人也受到了波及，只感到一股很強大的力量把他們往後推去，一樣撞到了牆上，喉嚨裡咯咯地響，一股鮮血從嘴角冒出。他們停頓了幾秒鐘，哇的一下把嘴裡的血吐了出來，然後蜷成一團，哀聲慘叫。

「高老大！」後面的人臉色大變，急忙把這兩個人抬到一邊，然後默默相視。

被稱爲高老大的那女人，臉上滿是驚訝，只見她眉角微微一動，從背後掏出了一把黑黝黝的弓。神奇的是，這把弓的箭居然不知道從哪裡弄出來，只見她一晃手，手上就拿出了一枝晶瑩透亮的箭。

第 128 章

雙方交手

櫻子臉上堆起了一絲絲的笑容，陰森森地笑了起來，兩顆眼珠變得幽幽的，盯在任天行的臉上。高老大臉色大變，急忙叫道：「小心她的勾魂眼！」

晶瑩透亮的這根箭，緩緩地冒出一股淡淡的氣，裡面滲有一種紫色的液體。

這箭居然是冰箭！

她嘴裡冷哼了一下，把那弓拉滿了，對著那門就是一箭。

「砰！」

一種比火箭彈爆炸更強的衝擊波在門口中散開，這個高老大在射出這箭的時候，她背後的人，已經臥倒在地上，而她在臥倒之前，一把抓住任天行，像把任天行當做被子一般。

任天行又氣又恨，這個自稱是員警的，居然拿市民來當擋箭牌。

爆炸後的衝擊波閃過之後，地上爬著的人，都被這股衝擊波吹到走廊的盡頭。

房間裡面的人自然也不好受，德川鬼叫般的鳥語，嘰哩呱啦從房間裡怒罵了起來，櫻子則喘息著冷笑道：「哼！又是妳這個不要命的死丫頭！想不到，還是讓妳找到這裡！」

高老大把任天行推開之後，慢慢地爬了起來，反笑道：「妳以爲F縣有多大！就算妳再怎麼化裝，也掩飾不了妳身上的那股騷味！」

賴三生扯著嗓子喊道：「高老大，我們無冤無仇，何必這麼趕盡殺絕呢？那股達明給妳什麼條件，我們加三倍給妳。」

高老大手微微一晃，一根冰箭已經拿在手上，沉著臉，眼裡射出一股冰冷的光。

「哧」的一聲，快如閃電，箭像一道白光一樣對著那門口飛去。

「風雷地動令，破！」賴三生喝了一聲，裡面一道黃光也隨之而來。

兩道光線撞在一起，只是輕微地爆裂了幾下。

「高老大！妳當真跟我們過不去？那就是說，沒得商量了？」

高老大冷冷道：「有得商量，就是把你們的命給我留下！」

這麼一說，櫻子在裡面冷哼了一下，一臉不屑道：「小丫頭好大……」

「哧哧哧」三聲，三道冰箭瞬間射向房間裡，她出箭的速度非常快，幾乎是在一秒鐘內拉弦、射出。而她緊隨著箭，整個身子朝著那門奔去。

任天行心裡微微一動，叫了一聲好！這個射箭的動作，幾乎可以用完美來形容。他忽然間心裡一動，這個會射箭的女人，跟他認識的金金幾乎能媲美，手上的弓已經達到了爐火純青的地步。

高老大！金金！弓，箭！看著她用弓的方式跟金金一樣，任天行把這兩人連在了一起……

金金非常非常不樂意聽到任何一個帶「小」的字，特別是這個「小」字用在她身上，你就算在她心情好的時候稱她「小姐」，她也會賞你幾個耳光，拿走你幾顆牙齒，若是心情不好……

不過，高老大似乎比她要成熟多了。

任天行呼的一下站了起來，慢慢握住了拳頭。

高老大的三道冰箭又被三道黃色的光給打掉，正打算衝進屋內的時候，一個人影從裡面衝了出來，一掌打向她。

高老大身子一晃，躲過這一掌，正要還擊偷襲她的人，眼前那人如鬼魅一般憑空消失了，而她的背後感覺到了一股冰涼的寒意。

她來不及轉身，那寒意已經到了她的背後，只能死死地趴下來之後，利用趴下的力量，來了個最難看的懶驢打滾。

那偷襲的人正想追擊高老大的時候，一個人晃到他面前，一掌把他打了回去。

任天行僅僅用了一掌，就把那人給逼了回去。

對著他，任天行冷冷道：「移形換影，東洋忍術！忍術這麼精湛，想來閣下一定是黑府中的高手！」

偷襲高老大的正是德川賴戶！

他被來人一下打了回來，本來已經很震驚了，如今來人又一語道破了他的身份。

德川驚訝道：「任天行？」

他的手微微地抖了一下，能一下把他打回來讓他無法躲避，又一語道破他身份，眼前這個人已經不是先前交手的那個任天行了。

德川背後一個中年婦女悄悄地閃了出來，兩眼盯在任天行的臉上，她看到不是長風，鬆了一口氣，吐出了三個字：「任天行！」

任天行見到櫻子，臉上隨即湧出了一股殺意，冷冷地說道：「櫻子！想不到我們又見面了！」

櫻子微笑道：「我當是誰，原來是大名鼎鼎的任天行！只是任警官，咱們才多久沒見，你怎麼就轉行做服務生了？如果生計有困難，不如來幫我！」

高老大沒想到這個一身服務生穿著的人居然是任天行，好奇地打量了一下任天行，然後對著櫻子叫道：「我來幫妳，讓妳好上路！」

任天行看著裡面的賴八師徒兩人，想到了黑屋裡面慘死的小菡以及泗水村的三百多口人，這些看來都跟他們離不開關係。

任天行的殺意漸漸湧了上來，籠罩著四周，就連高老大也沒想到，一個人的殺意居然能如此的強大。

「櫻子，我上次警告過妳，這是中國的地方，如果妳還想活命，趕緊回老家去。既然妳不聽，那就一輩子留在中國！」

「那要看你留不留得住我！哈哈哈！」櫻子臉上堆起了一絲絲的笑容，陰森森地笑了起來，兩顆眼珠變得幽幽的，盯在任天行的臉上。

高老大臉色大變，急忙叫道：「小心她的勾魂眼！」說罷，她那纖纖玉手已經把一副墨鏡給戴上了。

高老大這種熟練而老成，和渾然天成的動作，絕對不是臨時應變所能有的，應該是專門對付櫻子而準備的。

櫻子的那妖異的眼光落在任天行身上，手裡暗自掏出了一樣東西。

橘子皮一般的臉上不由得抽搐了幾下，一股愕然驚訝的臉色漸漸升起，逐漸替代那種陰險得意的神色。

任天行動也不動，除了微笑還是微笑。英俊的臉上掛著一種迷人的笑容，但是，櫻子、德川、賴八卻臉色大變。

這種微笑的裡面，含著一種死寂般的寒氣。一陰一陽兩種極端，居然能混在一起，發揮出一種更讓人心慄的新感覺。

櫻子雙眼變得黑洞洞的，胸口不斷起伏，額頭出汗，但不管她怎麼弄，任天行卻像沒有受到影響一樣。

高老大和任天行背後的那四個同伴，剛剛站了起來，碰上櫻子那兩股妖異的眼神的時候，就像木頭人一樣，兩眼癡呆，嘴裡喃喃自語，其中一個人居然扣動了手上的散彈槍，槍口正好對著地上一個受傷的同夥，一槍之下，地上那個受傷的人慘叫一聲之後就沒有呼吸了。

高老大嘴裡咒罵了一句，手裡又多了一根晶瑩透亮的弓箭，一晃眼，擋在任天行前面，黑色的墨鏡忽然一閃，兩道強烈的光對著櫻子他們射了過去。

賴三生突然間打出一道黃符，一邊拉住德川叫道：「小心！」黃符被這兩道射過來的光給燒著了。

櫻子躲開了襲來的兩道光，冷笑道：「看來妳花了不少心血！」

高老大見此舉奏效，不禁傲然道：「以牙還牙！比起妳來，怎麼說都算光明正大得多。」原來，這副墨鏡是針對櫻子所設計的，這個以牙還牙，想來就是對付櫻子的勾魂眼的。

「想死，我成全妳！」櫻子臉上閃過一股殺氣，手裡朝高老大彈出一樣綠色的東西。高老大儘管一身黑色裝扮，外表顯得氣質、淑女，身手一點都不含糊，腳法一動，躲開那綠色的東西之後，右手的冰箭和左手黑黝黝的弓已經搭上了，滿弦之後，冰箭呼嘯而去。

「風雷地動令！破！」賴三生不敢小看這冰箭，嘴裡喊了一聲法咒，一個印訣打了過來。趁他們交手之機，櫻子又偷偷地彈出了三顆綠色的東西。

這個綠色的東西，在白天，特別是這種下雨的天氣，光線比較暗，如果不注意並看不清楚，再加上這麼快的速度，櫻子偷偷打出，可以說是隱蔽至極。

任天行嘴裡冷哼了一聲，用意念開啓了密宗的「鬥」字訣，即刻間，一種無形的力量來自地底，送到了他身上。

他雙拳的關節發出劈啪的爆裂聲，赤紅的眼睛一閃過，如鬼魅一樣，瞬間的工夫，把高老大拉到一邊，然後自己就像風一樣，朝那櫻子和賴三生撲去。

這只是眨眼間的工夫，動作快得不能再快，那三顆綠點還沒有打到高老大身上，任天行已經把那三個東西握在右掌上了。

櫻子和賴三生早感到一股強烈的寒氣朝他們撲來，這種詭異的寒氣，不是一般人能有的，甚至說不上來，為什麼任天行身上會有這種寒氣，這是一個人的體能所能承受的嗎？

「般若波羅蜜！」賴三生大喊了一聲，嘴裡念念有詞，蓮花指朝任天行打來。而櫻子，則從身上掏出了一個很奇怪的玉飾品，嘴唇微微一動，那奇怪的玉嗡嗚聲響起，隨著她的嘴唇發出一股和悅的聲音。

「滋！」

賴三生的蓮花指發出一種牽動人的力量，就像是一道逆流的水流，把任天行牢牢地給抵住。

第129章

陰煞再現

這四個飛下來的東西，長得十分噁心人，頭比身子還大，眼睛黑洞洞的，一身黏糊糊的，還沾著血跡。除了這四個「養鬼仔」之外，櫻子又撒落三瓣菊花花瓣，喚來了三個「陰煞」。

就在兩方交手的生死關頭，突然間遠處傳來低沉的兩聲大吼，就像一隻冰冷而無形的黑手，緊緊地捏住了眾人的神經。任天行心裡一顫，這聲音就像是死神的宣判書一樣，五彩斑斕屍！

「吱吱」一聲，任天行身上有一種好奇而又微微發怒的感覺，這是嘰咕的反應。嘰咕這個傢伙，絲毫沒有懼怕之意。

「卑鄙小人！」高老大身影一閃，不齒地冷笑了一聲，弓箭上弦，「嗖」的一聲，如閃電一般回敬了德川的偷襲。

這德川是黑府中人，擅長偷襲術，是高手中的高手。高老大一個身影，閃過了他的偷襲，這一攻一守，仿若練過一樣。

雖然高老大躲開了德川的偷襲，但是，門外跟隨她來的幾個大漢，有兩個在一剎那間被這德川重創。

高老大喝道：「你們別進來，在外面守著，出去一個殺一個！」

幾個腳步聲立起，這些人無疑是最好的士兵，就算傷了三個死了兩個，也沒有任何手忙腳亂之色，急忙退後防守。

德川知道來的這人是任天行後，高傲地抬起了頭，心裡根本不在乎，區區一個

員警，雖然和先前交手時厲害許多，但他並不放在眼裡。而之前的那兩聲低沉聲，他並不知道是什麼東西，也沒多在意，他如今警惕的是高老大。

當任天行眼睛冷冷地放在德川身上的時候，拳風已經迎面而來。破風的聲音，帶著一絲絲的寒意，打在了德川的胸膛上。

這一拳打得出人意料，沒有人知道這一拳的速度有多快，也沒有任何預兆，就連任天行腳步起始的聲音也沒有。

「噗！」

「啰嚓！」

一聲肉和拳頭的交錯聲之後，就是德川骨頭的斷裂聲，德川似乎不敢相信，任天行的動作居然快到連他什麼時候出拳都看不清楚。

他只有一個感覺，就是痛。一瞬間，撕裂的肌肉和骨頭刺激著所有的神經。他憋著臉，原本漲紅的臉，一下間變成紫褐色，嘴角和鼻孔露出一絲的血跡。最後，他牙齒打顫地迸出一句話：「八嘎！」

「鳥語！」任天行回敬了他一聲，一副手銬把他給反銬上了。

這一串動作居然不到十秒鐘！高老大對任天行叫道：「小心他跑了！」

「能從我眼皮下跑，老子算他能耐。」

櫻子臉色一緊之後，從兜裡掏出了一朵白色的菊花，仇視地看著任天行。賴三生扶著那個矮胖子到一個角落。

那矮胖子一身虛弱，施「七煞幽冥陣」的時候，驚覺這陣式居然沒有預想的厲害，根本沒有想到，這陣式的力量會吸引嘰咕，讓嘰咕引走了一大半的力量，唯一能想像的是自己擺的陣式出錯了。

高老大的那個冰箭在他附近跟他的護體真氣起了反應，差點就走火入魔，而那兩聲聲音讓他再也提不起精神。

他低聲在賴三生耳邊說了一句：「想辦法走！快！」

「師父，那他們……」

「老祖宗出山了……」矮胖子寒顫地望著賴三生。

「老祖宗！」賴三生聽到這三個字，硬是愣了一下，身子微微發顫，終於知道爲何要這麼急著走。

他狐疑地看了周圍一眼，見到德川一下就被任天行給搞定了，心裡大撼，眼珠一動，對著櫻子叫道：「櫻子，我們一起上！」

「好！」櫻子大喝了一聲，心裡多少有點心喜，她還真怕這個賴三生和他師父賴八因爲收不到錢而袖手旁觀，賴三生這一句話，讓她底氣倒是足了幾分。

根據她們所得到的資料，任天行只不過是刀鋒裡的高手，雖然厲害，但是還能耐不過玄門中人。

只是他旁邊的那個高老大不容小視。這個丫頭跟自己交手多次，雖然每一次都落敗，但是每一次她都能逃脫，最恐怖的是，她手上的那把要命的弓，只要稍不注意，自己就會吃虧。

但是，矮胖子卻不這麼想，他用那死魚一般的眼睛全神貫注地警惕著這個任天行，因爲他的鼻子聞不到任天行身上有人味。

沒有人味，也沒有鬼味，那，這人是什麼？矮胖子不知道。就因爲不知道，所以才會更害怕。但更讓他害怕的是，這個任天行身上，似乎有一個靈體存在，這個靈體是守護著他的。

櫻子嘴裡喃喃地念著咒語，一股莫名的風在周圍吹起，把她頭髮吹得飄忽飄忽的，手上的一朵白色菊花不停地旋轉。

櫻子聲音突然提高了一下，眼睛一瞪，對任天行怪叫了一聲，手指輕輕一彈，兩瓣菊花花瓣化成烈火團，分別向他們兩人飛去。

這烈火團讓人遠遠就感覺到炎熱，而這兩團烈火後面，還跟著賴三生噴來的一口檀香粉。

高老大大笑道：「還來這一套，也沒有新鮮點的！」說完，她一把扯下自己穿的那黑色的外套，對著那兩團烈火一套，外套裡面一股類似銀箔的東西把那兩套火裹了起來，而外面那黑色的一層，居然有一種很強的吸力，把迎面而來的檀香粉吸得七七八八。

任天行吃驚地看了一下高老大，這個脾氣火暴但是身手敏捷的女人，比起金金多了幾分聰穎。

「回敬你們！」高老大大喊一聲，手一晃，兩根箭已離弦而出，速度非常快。

任天行冷眼看了他們三人，淡淡說了一句：「今天，你們一個也跑不了！」

「櫻子，下狠手！」賴三生大叫一聲，打出幾道黃色符咒，嘴裡念念有詞。符咒破風而來，帶著一種神秘的力量，從三道一下變成六道，從六道一下變成十二道，上中下晃動，眼花撩亂地撲面而來。

高老大用箭把其中的幾道符咒打了下來，但是符咒實在太多了，幾乎是成倍地翻滾，就算速度再快，也不能一一打下來。

「嘰咕，上！」任天行心裡大喊了一聲，把嘰咕喚醒，從身上掏出那把槍，皺著眉頭，聚集自己的意念跟嘰咕合二爲一，讓嘰咕知道自己要做什麼。

一種憤怒的力量從槍口中噴射而出，把那些飛來的符咒隔在三米之外，同時形成了一個無形的罩子，那些符咒突破不了罩子，在罩子外面呼的一下，漸漸地自焚。

任天行比賴三生和矮胖子更加震驚，自己跟嘰咕溝通的時候，只感覺到嘰咕的那種急躁和憤怒，這種感覺幾乎影響了他自己，要不是長風教了自己「鬥」字訣，能讓自己在冷靜中激發潛能，說不定這一下就讓自己進入憤怒狀態，會做出什麼事情，自己都不敢確定。

櫻子手上的菊花不停地轉，越來越快，腳跟微微地跺在地上，突然間，她咬破了自己的舌頭，對著菊花噴出了一口鮮血。

一股濃濃的血腥味充斥了四周，任天行警惕地看著櫻子，心想這女人不知道還有什麼手段。

果然，不斷有窸窣的聲音微微地傳來，在房間的四角，四個瓶裝的東西突然間破裂開，四個小東西咻咻地飛了下來。

這四個飛下來的東西，長得十分噁心人，幾乎就是小嬰兒在胎盤裡面的那種模樣，頭比身子還大，眼睛黑洞洞的，一身黏糊糊的，流著透明的液體，有的還沾著血跡。

高老大靜靜地看著那四個小傢伙，冷冷地對櫻子說道：「養鬼仔！你們果然是慘無人道，滅絕人性。不滅妳，慘死的人如何能安息！」

她緩緩地掏出了一根水晶色的箭，箭裡那種紫色液體發出妖媚的光。

除了這四個被高老大稱爲「養鬼仔」的玩意之外，櫻子又撒落三瓣菊花花瓣，喚來了三個人。

這三個人，就在櫻子後面，臉上沒有任何表情，死寂地站著。

這三個人赫然就是「陰煞」。

泗水村竹林裡面殺死初三的「陰煞」，還有別墅裡面那幾個陰煞，讓任天行他們損失了三十多名好士兵。

而這次，這「陰煞」再次出現在眼前。

三十多名士兵，三十多條人命！任天行的怒色漸漸顯露，眼睛赤紅。他想起了那些死去的兄弟，便緊緊地握住了拳頭，仰天狂吼了一聲。

「吼！」兩顆金燦燦的牙齒漸漸地露了出來，原本黑色的眼珠變得通紅，死死地盯在櫻子身上。

櫻子只覺得心寒，一種死亡的氣息充斥了整個房間。

任天行想到這麼多人死在櫻子手上，不禁咬牙切齒叫道：「我要妳生不如死！」

他身影來得飛快，快得幾乎腳不著地。

七個影子呼的一下全部衝向任天行和櫻子，而賴三生在後面用毛筆在自己的手上寫了一個殷紅的「勒」字，遙遙地打向任天行。

任天行聞到一股腥臭味，閃過撲面而來的兩個鬼仔，對著櫻子的下半身抬腿就是一腳。櫻子大驚失色，沒想到任天行的動作這麼快，連退了幾步，好不容易躲開任天行的腳，可是，任天行的拳頭，已經朝她揮來。

她急忙吹了個口哨，兩個陰煞呼的一下，擋在自己面前，兩手緊緊地拉住任天行的手臂。

這兩個陰煞渾身透著煞氣和邪氣，即便是靠近它們，都感覺不到一絲活力。

後面的兩個鬼仔呼地又轉飛了回來，張著小嘴，一口咬在任天行的腰部，另一個小鬼仔正得意地張著小嘴，喀嚓喀嚓地咬動著上下牙齒，準備咬向任天行的頸部，突然被一隻白白的小手給抓了回去。

這小手正是嘰咕的。原本以無形力量存在的嘰咕，突然間幻化成形，帶著錐形的頭，咧著小嘴。它跟任天行一樣，赤紅的眼睛，正頂在另一個陰煞的身上，而一隻小手變得長長的，一把掐住飛咬向任天行頸部的那個鬼仔。

第130章

母夜叉

櫻子緩緩地抬起頭，眼睛煥發出一種幽幽的綠光，原本紅色的嘴唇在這一刻也變成了綠色。整個人看起來顯得面目猙獰，一雙綠色的眼珠子比牛眼還大。夜叉，母夜叉！

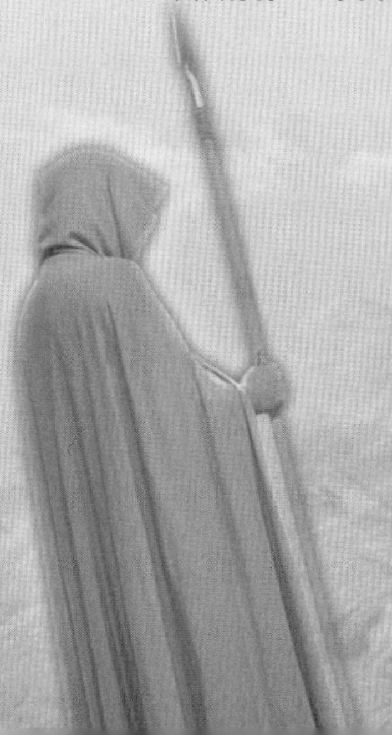

一旁的高老大嘴巴張得大大的，根本不相信這個員警居然有這種能力，她更不敢相信的是，這個員警身邊居然還有一個靈體在幫他。

高老大一低頭，躲開了飛來的兩個鬼仔，轉身回頭立即射出一箭。

這一箭是冰箭，速度非常快，快到鬼仔根本沒有躲避的餘地，一箭射在一個鬼仔的身上。那冰箭箭頭入體就化，箭身裡面的紫色液體一下注入進身體，那鬼仔身子突然間膨脹了起來，大了兩倍有餘。

「呯！」那鬼仔身子脹裂開，一股紫色的液體射向四周，液體飛濺，有幾滴沾在另一鬼仔的身上。那鬼仔嗥叫了一聲，身上被沾到的地方，就像被腐蝕一樣，一個肉洞漸漸從小變大，身上的肉一塊一塊地掉了出來，露出小得可憐的骨頭，還冒著白色的煙。

一箭就解決了兩隻鬼仔，櫻子眼裡射出狠狠的一股怨意。

但另一個陰煞如鬼影一樣到了高老大身邊的時候，高老大正對付那兩個鬼仔，沒有防備，兩隻冰冷的手已經掐在她的脖子上。

櫻子閃到一遍，眼睛盯著那些東西，嘴裡不停地喃喃著。

任天行手一抄，把腰間的那個小東西給撈了起來，只是這小東西非常邪門，被招了之後，居然還張著小嘴，露出一排黑色的牙齒，邪邪地笑著，猛地一口咬在任天行的手上。

任天行手上一疼，一凝神，一股力量衝上手臂，他用力一擠，那股力量隨著他的力道，就像開閘的水一樣湧進手心。

手掌裡面的鬼仔啪的一下被捏成了肉泥。

任天行嘴裡吼著，一股寒氣從嘴裡漸漸地吐出，那陰煞不顧死活地衝了過來，想撲上任天行的身，但是遇到這股寒氣，卻奇蹟般地躲開了。

代替它的是一種炎熱的風，任天行定眼一看，這個風是賴三生打來的掌風，他手心上一個「勒」字閃閃發光。

「哼！」任天行冷笑了一聲，肚子一收，那個掌風打在自己腹部，只是感覺一麻之後，馬上又恢復了狀態，不痛不癢。

賴三生一臉驚愕，這掌心雷居然沒有效果，普通人被打中這麼一下，三魂六魄一定受創，元氣大傷，而這個叫任天行的卻一點感覺也沒有。

矮胖子突然間蹦到他徒弟的身邊，兩人手印一捏，叫道：「風火雷電兵，破！」師徒兩人聯手，動作一致，兩股力量呼的一下衝向任天行。這兩股力量一大一小，一強一弱，根本沒給任天行躲避的機會，這幾乎是算計好了的。

就在任天行硬接了賴三生那道掌心雷，再次分心去對付陰煞的時候，兩人冷不防就出了這一招。

任天行被這股力量給撐了起來，狠狠地摔在牆上，然後彈了下來，呼的一下，把賓館裡的電視機給砸得冒煙，兩陰煞如影隨形，都撲了上去。

任天行吼了一下，兩顆金牙再次突了出來。

他一下就站了起來，把纏在自己身邊的兩個陰煞給狠狠地提了起來，一手一個地捏著它們的脖子，狠狠地捏著。

賴三生對櫻子叫道：「快動手！」

櫻子點頭喝了一下，從身上小心翼翼地拿出了一顆白色的盒子，咬破自己的手指，在盒子上面寫了幾個奇怪的字。

不遠處，一道低沉的聲音又傳了過來，矮胖子和賴三生兩人相視一對，臉色驚慌地打了個眼色，兩人同時喝道：「風雷地動令！我遁！」兩道白色的煙立起，兩人用地遁術開溜了。

高老大被那陰煞掐著脖子，差點透不過氣來，憋紅了小臉，眼睛翻白，好不容易從身上抽出一個瓶子，打開了之後，一把灑向那陰煞。瓶子裡面的液體似乎是陰煞的剋星，一下把陰煞給化成了一灘黃水。

高老大脖子鬆了之後，咳嗽了幾聲，努力地喘氣，之後向外面大叫道：「他們跑了，快追！用○七三七頻率！」

「收到！高老大，妳自己小心！」一聲應聲之後，幾個人急忙跑下樓梯，他們拿著儀器，跟著儀器追了上去。

任天行用力一甩，把兩個陰煞對撞，噗哧一下，兩個陰煞被任天行身上的那種力量弄得化成灰，稀稀落落地掉在地上。

「媽的，跑了！」高老大喘過氣來之後，定眼一看，德川已經不知去向，一副手銬落在地上。

她咒罵了幾句之後，對著任天行叫道：「別讓這妖婦跑了，我去追那鬼子！」說完，人也不見了。

任天行看著那副手銬，無奈地搔頭了一下，自己居然疏忽了，被鎖的這個是東洋忍者，不是普通人。

「櫻子，妳是束手就擒呢？還是要我親自出馬？」任天行和嘰咕兩人在不到五分鐘的時間裡，把櫻子弄出來的那個陰煞和養鬼仔收拾了。

櫻子臉色一青，顯得十分凝重，這養鬼仔和陰煞可算是她的獨門法寶，如今居然在任天行手上全部滅了。

她忽然間想到了一件事情，讓她懊悔不已，那就是，以一個員警微薄之力，又怎麼敢跟玄門中人交手？敢跟玄門中人交手，唯一的理由就是有自己的一套。

根據資料，任天行只是一個普通的員警，能讓他狂妄地敢跟自己鬥，很大部分就是因爲長風的存在。這個長風，是近年來出現的最神秘的一個玄門高手。

如此一想，這個任天行能對付自己，多半就是長風教他的方法。如果這樣，這個長風實在太恐怖了。

她拿著手上的盒子，嘴裡顫抖著說道：「我們大和民族的人，就算是死也不會向敵人投降。」

「敵人？」任天行冷冷地狂笑，對著櫻子說道，「你們大日本帝國，爲了自己的私欲，殘殺我們中國人，單單是南京大屠殺，就超過三十多萬人，這些無辜的人，是你們的敵人？」

「日本投降之後，被俘虜的日軍有上萬人之多，我們中國人對日本戰俘沒有進行屠殺和虐待，反而遣返他們回國，這是敵人？」

「這幾十年來，日本經濟低迷，我們中國不惜開放市場，救助日本經濟，這是敵人？」任天行冷笑地看著她，突然間大吼道：「當年，你們七三一部隊製造化學武器，利用病菌在世界各地殘殺人類，現在你們又在F縣用活人做試驗，妳認為誰是誰的敵人？」

「來吧，我的敵人，把妳吃奶的本事全部使出來，讓我看看你們九菊派，你們山口組，妳背後的右翼分子有什麼本事，敢在中國的土地上亂來。」任天行眼睛發紅，對著櫻子狂吼著，一種冰冷的寒氣夾著任天行的那種豪氣，籠罩著櫻子。

櫻子原本高傲的心態被任天行這種氣勢壓得絲毫無存，輕輕地咬了一下嘴唇，緩緩地打開了盒子，裡面平躺著幾隻花花綠綠的小蟲。

幾隻花花綠綠的小蟲緩緩地在盒子裡面蠕動，而她，居然把這幾隻很噁心的小蟲子捏了起來，放到自己的嘴裡，不停地嚼著。

她的嘴角流出一股綠色的液體，但是她絲毫不在乎，盒子裡一共九隻拇指大的蟲子，被她完全嚼了下去。

任天行冷冷地看著她，他倒是要看看這個「高貴」的櫻子到底還有什麼本事！

櫻子緩緩地抬起頭，眼睛煥發出一種幽幽的綠光，原本紅色的嘴唇在這一刻也變成了綠色。

整個人看起來顯得面目猙獰，就連舌頭也變得黑糊糊的！她狂笑了一下之後，嘴裡喃喃有詞，雙手一伸，手指指甲居然在她念咒的時候緩緩地變長變黑，黃色的肌膚漸漸地乾癟了下去。

任天行驚訝無比，但是卻沒有絲毫懼意，這櫻子居然能在短時間內變成這樣，估計是那幾隻蟲子的原因。

櫻子臉上的皺紋越來越多，眼珠突出，一雙綠色的眼珠子比牛眼還大。

任天行看了她這副模樣之後，心裡微微地提高了警惕，瞪大眼睛看著櫻子的這種變化，良久，才緩緩吐出三個字：「母夜叉！」

夜叉，母夜叉！

這三個字用來形容此時的櫻子最適合不過。

遠處的街道上，兩個人影邁開腳步匆匆地行走，背後，一個高大的人影正一跳一跳地跟隨著，吐著寒氣，淅淅瀝瀝的小雨夾著陰天的那種悶氣，正灑在他們三個人的身上。

那個一蹦一跳的人，在不停地追著前面的兩個人，那兩個人看起來不覺得奇怪，像是趕路一樣的人，但轉眼間就已經到了百米開外，這麼快的速度，如果不注意，還真看不出來。

但是，再快也沒有後面這個蹦跳的人快，他身上穿著金縷戰衣，一副大將軍的模樣，臉上長著五彩斑斕的毛，雨水打在上面，發出晶瑩的光，更顯得恐怖。

後面也有三個人遠遠地跟著。其中一人道：「別出聲，前面那個似乎不是人，這信號提示得這麼強，咱們小心點。」

「禿子，你先帶兄弟們回去療傷，跟高老大聯繫上，我們會跟著他們，有消息通知你們！」

「好，你倆小心！」一個男的低聲說了一句之後，悄悄地往回走。

第131章

我是殷小菡

這個女人赫然就是殷小菡！在黑屋中被長風超度的殷小菡，如今活脫脫地站在任天行的前面。如果這個人是殷小菡，那麼，黑屋裡面慘死的那個女人又是誰？難道……

櫻子滿臉灰色的皺紋，綠色的嘴唇和幽幽的大眼睛，滿臉猙獰，活脫脫就是一個傳說中的母夜叉。

她整個身子在劈啪的爆裂聲中，陡然增高了兩個頭，脖子上原本應該沒有的喉結居然凸了出來，而且凸得十分厲害。任天行心裡微顫，不明白爲何吃了幾個蟲子會變成這樣，那些蟲子是哪來的？

母夜叉的鼻孔向上翻，幾隻青菜蟲般的東西，從鼻孔裡緩緩地爬了出來，十分的噁心，嘴裡還冒出一股綠油油的氣。

在母夜叉宣戰性地吼了一聲之後，嘰咕如影隨形一般騰的一下，化成了一塊無形的網，困住母夜叉。只是，就連嘰咕可能也沒想到，這櫻子變成母夜叉般模樣之後，力量之大幾乎不可想像。

她爆發性地掙脫了嘰咕的束縛之後，餘力還能揮向任天行，一拳打在牆上，轟的一聲，一堵牆幾乎被她拆散了。任天行雖然躲開了她的這一擊，拳風還是把他的臉龐打得隱隱作疼。

她死死地盯著任天行，眼睛裡冒出怒火，仰頭狂號，一股死一般的味道充斥在房間裡的每個地方。

嘰咕見到自己被她掙破，除了有些意外之外，居然邪邪地笑，似乎越有挑戰性的事情它越高興一般。

嘰咕改變了自己攻擊的方式，不再用束縛的方式困住母夜叉，而是變成了一股強滲入性的力量，一下之間鑽進了母夜叉的身子裡面。任天行握緊了拳頭，根本不懼怕這個夜叉，傲然地說道：「今天如果妳不能給我答案，我鐵定生擒妳，送給SUPER組織進行研究，看看妳到底是什麼東西變的。」

「是誰安排你們來的F縣？在中國，你們還有哪些人？萊恩家族和梅森家族的人在哪兒？」

任天行一連問了幾個問題，櫻子理都不理，怒吼著張著她綠色的嘴唇，伸著長長的黑指甲戳向任天行。

任天行心裡一怒，提起了自己的拳頭，一拳打向迎面而來的那些長甲。

早就做好準備的任天行，根本不擔心自己的拳頭被指甲戳斷，他已經明白了，只要把潛能提高起來，自己的身體就像鋼筋鐵骨一般，就連鬼仔都咬不動。

跟紫毛殭屍、紅毛殭屍，再加上今天跟鬼仔交手的經驗，讓他意識到了自己的變化。所以，他一拳死死地打向櫻子。

因爲吃了蟲子而變身的櫻子，那長長的指甲堅硬如鐵，指甲跟拳頭之間接觸之後，居然發出「鏘」的一聲，兩人中間冒出一抹火花。

兩人各自後退了一步，都不敢相信地看著自己的手掌。

任天行淡然說道：「我還以爲妳成了母夜叉，沒有人類感覺了呢。」

櫻子徐徐地吐出死個字：「我——要——你——死！」

「是嗎？那就看看是誰先死！」任天行狂喝了一聲，如鬼魅一般的速度，閃了一下，人已經到了櫻子面前。

兩人交手之後，任天行居然化拳爲掌，十指如鉗子一樣緊緊地夾在櫻子那怪異的手掌上，全身的力量扣住那手掌，不讓它動分毫。

任天行使勁地箝住櫻子的手掌，試圖把她手掌給捏碎，可是櫻子的變化實在太快了，一轉眼的時間，從人變成怪物，而且力量居然這樣大。

任天行在短短的時間裡，三次增加了手上的力道，相信以這樣的力道，就算是鋼鐵也能捏得變形，但是，櫻子的雙手在這樣的力道裡面還能有抵抗，甚至想掙脫自己的手掌。

「吼！」任天行低吼了一聲，兩顆金燦燦的牙齒發出妖異的光，赤紅色的眼珠裡面燃燒著熊熊烈火。

櫻子的身子在任天行的狂怒下，漸漸顯得有點萎縮，這個萎縮的態勢，讓在她身體裡的嘰咕得到了很好的機會，藉此滲透得更深。

「啡嚓」一聲脆響，櫻子右手中指被一下折斷，連同那三寸長的指甲也一起掉在了地上。

緊隨著又是連續的脆響，其他手指逐漸斷裂，櫻子大驚失色，慘叫不已。她提起身上所有的力量來跟任天行對抗，開始還能頂得住，但是自己稍微一分心，就感到皮膚裡有一股冰寒的力量漸漸地侵蝕著自己的全身各處，並吞噬著在自己血脈裡到處運行的力量。

任天行冷然問道：「誰是你們的頭兒？」

見到櫻子死咬著牙不說話，任天行猛地瞪大眼睛，用力一扯，活活地把櫻子的右手手掌整個給扯斷，紅色的血噴瀉而出，櫻子隨之厲聲慘叫。

「說，誰是妳的頭兒？」任天行暴喝了一聲。見到櫻子沒有回答，他高聲喊道，「妳不說，老子今天把妳拆散了！」

又是一聲慘叫，櫻子左手手掌齊腕而斷，噴出的鮮血把任天行的上半身給染得就像個紅人。

任天行見到櫻子還是沒有反應，喝道：「你們的頭是不是『獵人』？」

聽到「獵人」兩個字，櫻子的身子顫抖了一下。

這個代號叫「獵人」的人，是他們在抓到另一個櫻子和雙子，李寶國透過自己的異能探索她們兩人思維裡的秘密的時候，發現了九菊派居然是個小嘍囉，真正的幕後主使還沒有出現，連她們都不知道幕後老闆是誰，只知道是跟一個代號叫「獵人」的接頭。不只是她們，還有其他各國的幾個組織幾乎都是他的屬下。

雙子和櫻子在這次行動中身份不低，但是都不知道這個「獵人」是誰，如今遇到了這個九菊派的真正首腦，任天行不信她不知道。

只可惜李寶國如今不在這裡，不然根本用不著逼供。

如今參與其中的還有萊恩集團、梅森集團，單是這兩個集團的財力和勢力，動一動就能讓一個國家的經濟爲之震撼，而且是發達國家。還有就是，這個九菊派明的是日本山口組裡的一個部門，其實只是掛個號而已，他們跟山口組是同屬一個老闆，都是由右翼分子控制的工具。

這個代號「獵人」的是什麼來歷，居然能一手指揮著這些集團的人？

櫻子不敢相信，這樣秘密的事情，任天行居然能知道。

任天行臉上露出一股微笑，淡漠道：「妳可以不說，今天，我就讓妳嘗嘗分屍的滋味！」他把眼光放在櫻子的臉上，然後逐步逐步地往下移，加重語氣道，「妳放心，這滋味一定讓妳畢生難忘，我先是把妳四肢給弄斷，然後把妳的眼睛給蒙起來，耳朵給塞起來，在妳胸膛到腹部之間開三個小洞，讓妳的血慢慢地流出來。」

「請放心，妳一定不會看到自己的血，也聽不到自己的血濺出來的聲音，但是，妳能用妳的鼻子聞到那種令人嚮往的味道，妳的味覺能讓妳感受到那種奇妙的感覺。哦，對了，不要罵我殘忍，這個手法，是你們日本皇軍先發明的，而且，用在我們中國人身上，屢試不爽。」

根本不容櫻子回應，任天行已經狠狠地把櫻子的雙腿給扭斷，骨頭折斷的聲音就像一把尖銳的刀捅在櫻子心裡，而嘰咕那傢伙更是誇張，感受到任天行在想什麼，居然暗自配合，把那種恐懼、殘暴、荒謬的感覺在櫻子體內誇大了N倍。

「說！『獵人』是誰？」

「呸！」櫻子用盡了自己的力量，狠狠地對著任天行唾了一下，翻白眼對著他，一臉不齒。

「說！『獵人』是誰？」任天行再次冷冷地在她耳邊說了一句。只是這櫻子嘴巴十分緊，到了這種地步，居然還用自己的意志對抗。

任天行心裡倒是有幾分佩服，心裡微微一軟，不想再逼她，只要她不死，帶回去給李寶國看幾眼，就能把想知道的套了出來。

櫻子被任天行這麼一折磨，緩緩地縮成了一團，漸漸地恢復了自己原先的樣貌，臉上的皺紋漸漸消失，而嘰咕在她變回原形的時候，嗖的一下回到了任天行的身上。

門外腳步聲傳來，一個穿著十分普通的女人走了進來。任天行眼睛遇到這女人的時候，突然間愣住了，幾乎不敢相信。

這個女人赫然就是殷小菡！

這個在黑屋中被長風超度的殷小菡，如今活脫脫地站在任天行的前面。

不可能，這絕對不可能！更奇怪的是，每次遇到殷小菡，都有一種不同的感覺，就像是一個人給人幾個不同的感覺一樣。

如果這個人是殷小菡，那麼，黑屋裡面慘死的那個女人又是誰？難道，她倆……是雙胞胎？

「是任大哥嗎？」她看了櫻子一眼，眼睛留在櫻子被扯斷的雙手之後，居然蹲下來，撕了兩條布條，把櫻子的手綁住止血。

「我是任天行！」

「我是殷小菡！殷達明是我爹爹！我爹爹請你現在到他那裡去一趟！」她秀目看著任天行，怕任天行不去，還加了一句，「這妖女也要帶過去。」

「你知道她是誰？」

「十多年的仇人又怎麼會不知道，任大哥，有些話還不方便說，不如到我家一趟吧，見到我爹爹，你應該會得到比較滿意的答案！」

「好，我們走！」任天行點了點頭，櫻子在這裡擺「七煞幽冥陣」，估計對付的就是殷達明，看來，只有去找他才能明白這其中的一切。

第132章

破天

高老大拿出一枝晶瑩透亮的箭遞給任天行，這冰箭居然是用冰製成，裡面有一股紫色的液體 ，裹住紫色的液體的周圍，有一排密密麻麻的字，這就是破天研製的武器，叫誅仙箭！

小菡沒讓任天行背櫻子，非要自己背上櫻子，也不嫌棄櫻子身上的血跡，甚至找了個袋子，把那兩隻斷手撿起來一起帶走。

任天行暗自打量了一下小菡，有點不敢相信，問道：「妳真的叫殷小菡?」

殷小菡點了點頭，輕笑道：「殷小菡這個名字很普通，不會有人冒充這個名字的。」出了酒店，任天行才發現，這酒店四周早就佈滿了便衣，酒店裡面還押了幾個櫻子她們的手下，估計就是給她們做情報的。

殷小菡把櫻子交給一個人安排之後，套上了一層厚厚的黑衣服，就連眼睛也用墨鏡遮擋起來。

就在這時，一身黑衣的高老大提著一個人回來了，那人就是德川賴戶。

沒有人知道高老大是怎麼把德川找到的，但是，從高老大臉上的一條血跡看得出來，她跟德川交過手。

德川全身軟綿綿的，大腿上和胳膊上還帶著兩根箭。

高老大出現之後，那些便衣見到她就叫上一句：「高老大！」

高老大走向任天行之後，先是對著身邊的殷小菡微微點頭示意，低聲叫了一句：「殷小姐！」然後，仔細地打量著面前穿著一身服務員衣服的任天行。

「高姐，這位可是我們F縣的大貴客，任天行！」殷小菡淡笑著為高老大介紹。

高老大恍然大悟，嘴裡喃喃道：「原來是刀鋒的頭兒，任天行，怪不得！怪不得！」她連續用了兩個怪不得，眼光偷偷打量著任天行。想來這人來歷不簡單，不然怎麼敢跟櫻子他們鬥？

「任大哥，這位是高小姐，也是我們組織的頭兒。」

任天行對她點了點頭，不自覺把她和金金兩個人拿來相比，她身上有著一種獨有的氣質，顯得與眾不同，比起金金，多了幾分冷靜和成熟，但讓他感到驚訝的是她們的組織。

「你們組織？」

殷小菡點了點頭，解釋道：「西方國家有個SUPER組織，專門研究靈異現象，具有一百多年的歷史，我們中國，在建國初期，也成立了這麼一個類型的研究組織，叫『破天』。這是我們國家的最高級機密，一直不對外公佈，不像美國那樣有檯面上的大動作。」

看來，除了「刀鋒」和「龍牙」，「破天」也是秘密部隊裡面中的其中一個部門。任天行臉色一沉，既然是國家機密，還是最高級的機密，殷小菡居然還敢當眾說出來，難道她不知道洩露國家機密是死罪嗎？

任天行對於類似這樣的事情非常敏感，殷小菡感覺到任天行臉色變化之後，低聲說了一句：「這是韋軍長的意思！」

任天行愣了一下，這麼長時間以來，韋叔叔一直都沒有告訴過他任何關於這個組織的消息，爲何現在會突然間告訴他？

他突然想到了一件十分重要的事情，轉頭問高老大：「高老大，那賴三生和矮胖子他們往哪裡走了？」

「放心，我們的人已經監視住他們了！」

任天行臉色一沉，說道：「糟糕，快，趕緊把你們的人叫回來！」

高老大和小菡相視了一眼，也不問原因，急忙用電話把跟蹤賴三生的那兩人給喚了回來。

「任老大，是不是跟那兩聲低沉的聲音有關？」

「那是殭屍的吼聲！全身五彩斑爛的殭屍！」任天行意味深長地說了一句。

「老祖宗？」兩女幾乎同時失聲叫了出來。

「果真出現了！原來，老祖宗果真出現了！」高老大嘴裡反覆地說了幾次，最後拉著小菡和任天行急道，「走，去我那裡想辦法！」

高老大幾乎是拉著小菡和任天行跑的，任天行無奈地跟著她們，無意中看了一下街道的燈光映射的影子，心裡不禁涼了一下，三個人，只有兩個影子。

那個殷小菡居然是沒有影子！

櫻子和德川被幾個特殊的保鏢押送回軍區，這幾個保鏢非常神秘，幾乎看不到他們的樣子，一身的黑衣打扮，個個身上都微斂著一種煞氣，用嘰咕的話說，他們這幫人，都或多或少有操控力量的能力。

更讓人意外的是，在押送櫻子和德川兩人的過程中，居然有人想救走他們。

「來人一共兩個人，我們看不清他們的樣子，他們的速度太快了！」一個急促的聲音從電話那頭傳來。

不過，慶幸的是，他們只救走了德川，關鍵人物「櫻子」還在。

高老大大怒，猛拍一下桌子，吼道：「你們幹什麼吃的？就兩個人，你們六個都對付不了！」

「高老大，他們的速度太快了，我們懷疑他們不是人！」

「你裝，你再裝！不是人？不是人你們就不能對付？」

任天行眼睛一亮，救人的這兩個人不是人？那是什麼？如果能從這兩個人身上著手，能不能把整個根脈拉出來呢？

電話那頭的那人很慚愧地說道：「如果他們是妖魔鬼怪，還好辦一點，但是，他們不屬於這個範疇的生物。」

高老大身子猛地震了一下，愕然望了一下殷小菡和任天行，最後緩緩地說道：「不屬於這個範疇的生物？你是說，他們是第四界的？」

「對，是殭屍！」

殷小菡忽然搶過高老大的電話，急道：「你們小心謹慎，一定要把櫻子送到軍區給李寶國，如果不能安全送到，也不要讓她能從你們手上逃出！」

「明白！」

聽到對方的回應之後，殷小菡掛斷了電話。這殷小菡手段居然這麼毒辣，真是看不出來，這一招，居然是寧爲玉碎不爲瓦全。

「你是不是覺得我的手段太殘忍？」

任天行臉一紅，自己心裡想的，她都能看得出來，不過，他還是坦然地說道：

「是！」

「櫻子被你活活地扯斷雙手，不見得你好到哪裡去！」殷小菡看著任天行哈哈大笑，然後說道，「我們是同一類人！」

任天行冷然道：「不見得！」

殷小菡也不反譏，有意無意地含著笑看他。

「怎麼，叫我來這裡，就是爲了陪妳們這兩位美女聊天？」任天行微笑地看著這兩人。

高老大呸了一下，一雙秀目瞪著他說：「想得倒美！」

「哪敢，哪敢，刀鋒組的老大，我們哪敢用『叫』字，怎麼也得用個請字才行！」殷小菡接過高老大的話，繼續說道，「韋軍長要你全面介入破天，全力配合我們破天的行動。」

「要我全力配合妳們？」任天行騰的一下站了起來。他不敢相信，這次的事件自己已經查得差不多了，而且櫻子也抓住了，到這個地步，可以說大勢已定，怎麼還會有個「破天」的組織介入呢？而且，最重要的是，這個破天自己從來都沒聽說過，韋叔叔也沒跟自己提過有這麼一個組織。

高老大淡淡說道：「怎麼，統帥刀鋒這麼久了，連龍牙現在也要配合你，是不是有點不習慣？」

「高姐，任大哥是因爲感覺太突然了，他從頭到尾都參與這件事，如今，櫻子已經被抓了，對我們的加入，他自然感覺到意外！」殷小菡一語點破了其中的關鍵，讓任天行心裡直喊厲害。

「任大哥，兩個櫻子，一個雙子，你不覺得奇怪嗎？而且，這次你們的力量很強大，除了龍牙的人，還有長風、古晶、何天生、王婷婷他們這些人相助，此外，還有來自SUPER組織的人。」

「不過，這件事，遠遠沒有你想像的這麼簡單。他們用大量的活人來做試驗，倉庫一號就是他們的實驗成果之一，但是，你們到現在還沒有弄清楚是什麼人在幕後操縱這一切，最重要的是，他們的目的是什麼？」

任天行抬起頭，高老大和小菡對自己的事情這麼清楚，她們這麼說，難道已經掌握了更有價值的線索？

高老大說：「我跟櫻子她們交手已經有十六年！十六年！而你還不到半年！」

她拿出一枝晶瑩透亮的箭遞給任天行，「你看看，這就是給櫻子她們準備的禮物！」

「冰箭！」任天行吸了一口氣。這冰箭居然是用冰製成，裡面有一股紫色的液體，他仔細一看，裹住紫色的液體的周圍，有一排密密麻麻的字，這些字非常奇怪，沒有一個字是他認識的。

任天行狐疑地看了一下高老大，又看了一下小菡。

殷小菡淡淡地笑道：「這就是破天研製的武器，叫誅仙箭！」

「誅仙箭？」任天行愕然地張大了口，更讓他意外的是，這個箭是專門研製出來對付櫻子她們的。

按照目前櫻子在F縣的所作作爲，完全可以認定，這次代號爲「活祭」的行動，已經啓動了有十多年，而且，用活人來做試驗，根據得到的證據，稱爲第二次七三一並不爲過，他們在研究細菌病毒，這是生化武器！

而且，那些倉庫一號比生化武器更恐怖，試想，這樣不會疼、不會痛，只聽命行事的實驗品，一旦進入戰場，身上背著一包生化武器，像人體炸彈一樣跟敵人同歸於盡，這是多麼恐怖的事情。

殷小菡漠然道：「這些東西，你們只是抓到了表面，根本性的東西你們還沒有接觸到。你想想，這些研究，如果是研究武器，爲何有萊恩家族和梅森家族的人滲入？日本、英國、法國三個國家的人會聚一堂，只是研究武器這麼簡單嗎？而且他們敢公然地在中國做這樣的研究，一旦被發現，就不怕聯合國制裁？」

「因此，這裡面一定有更大的陰謀！這個陰謀是什麼？我們無從所知，因此，我希望任大哥能全力配合我們，合我們的力量把他們都給掏出來。」

「九菊派，只是一個棋子！櫻子，就是其中的一個突破點。」殷小菡最後徐徐地說了一句。

任天行震撼了好久才回過神來，說道：「想不到這事件另有乾坤！我們要從櫻子的身上找到突破口。」

高老大突然說道：「你有什麼好主意？」

「第一，我們要把萊恩家族和梅森家族的人給找出來。第二，我們要從櫻子嘴裡挖出一個人！」

「誰？」

「一個代號叫『獵人』的人，這個人是他們在F縣的最高指揮人。」

任天行提到「獵人」，殷小菡臉上肌肉一抽，隱隱露出不安之色。

第133章

獵人是誰

「獵人」是誰？這個神秘的人，有著操控萊恩集團、梅森集團以及日本山口組力量，這是一種什麼樣的權力？他們都知道其中的關鍵，面面相覷，神色凝重。

李寶國用他的異能，從澤田櫻子和雙子的腦識中得到了一些寶貴的資料，「獵人」就是其中之一。

「獵人」是誰？

這個神秘的人，連澤田櫻子和雙子都未曾見過的幕後黑手，有著操控萊恩集團、梅森集團以及日本山口組力量，這是一種什麼樣的權力？

單單憑藉著財力，一定不能夠爲所欲爲，梅森和萊恩兩個西方發達國家的集團，擁有幾百年歷史的家族，他們的財力可以說已經位居榜首了，動一動就能讓整個國家的經濟爲之震撼，因此，他們不缺錢！

他們有錢，有錢的人一般都跟有權的人分不開，能有這樣的規模，他們的政商關係一定非常非常好。但是，他們居然被「獵人」操控著。

他們都知道其中的關鍵，面面相覷，神色凝重。

任天行提出了兩個可能，第一個，以萊恩、梅森和九菊派爲主，獵人是在他們其中，九菊派的澤田櫻子、雙子，還有剛剛抓到的櫻子和德川，這幾個人是九菊派的首腦，他們幾個人落網，幾乎可以排除了九菊派的可能性。

而萊恩和梅森家族自從來到F縣後，一直沒有公開出現，五行人極有可能就是他們兩個家族之一派來的。

這個「獵人」，會不會是萊恩或者是梅森家族的人？

按照他們兩個家族的能力，「獵人」如果是他們家族的人，那麼，這一切的動作所需要的財力、物力以及人力，都能得到充分的解釋。

但是，這只是推測。

第二個，這個「獵人」不屬於任何一個家族，既不是萊恩和梅森家族的，也不是九菊派的。這個可能性不大，但是不排除有這個可能，而且，一旦是這樣，那麼這事件就不是這麼簡單。

任天行虛汗立下，他想到這一層的時候，已經發現了事情的嚴重性。

「獵人」如果是第二個假設，那麼，他實在是太恐怖了。

如今，只能從櫻子身上下手。

很難想像，高老大居然跟他們交手了十多年，這個破天的老大居然又是一個女人——龍牙如此，破天也如此。

高老大說道：「你對九菊派的瞭解有多少？」

任天行答道：「九菊派，嚴格地說，不算一個門派，根據我所掌握的資料，這個九菊派和日本禪宗代表著日本的道教和佛教。日本禪宗，歸根到底是西藏密宗的分支，而九菊派源自唐朝茅山派的一個分支。他們很少露面，因此，知道這個組織的人並不多，他們歸屬日本山口組，但是實際上，他們的身份遠遠不是山口組能比的。他們直屬於小犬亂次郎的統轄，小犬亂次郎是山口組最高領導人，也是日本右翼成員中最重要、最有實力的領導人之一。」

這些都是任天行借助國際刑警的資料，以及古晶、長風還有其他線人給他的情報得來的，很顯然，這點資料是最普通不過的，但單單是這點資料，就讓他花了整整一個星期，動用了大量的人力和物力才搜集到。

高老大淡然道：「日本的禪宗跟九菊派，表面上看起來關係密切，其實他們矛盾很大，甚至有過幾次交手，禪宗的孔雀大師一直很反對九菊派的作風。此外，九菊派的櫻子，確實有兩個，一個叫澤田櫻子，就是早前被你們抓的那個櫻子，另一個叫藤原櫻子。」

原來如此，任天行點了點頭，看著高老大，沒想到她居然掌握這麼多資料。

「澤田櫻子是負責掌管九菊派外務和內務的總管，說白了就是一個管家。藤原櫻子是九菊派的首腦，她在九菊派裡面道行最高，而且為人陰險惡毒，經常利用術法剷除他們的障礙物。日本禪宗多次跟他們暗地交手，就是因爲看不慣他們使出這樣的卑鄙手段。」

「妳們是怎麼知道這些秘密的？」任天行看著她們兩人，有些吃驚。

只是這麼一問，高老大秀氣的臉蛋蒙上了一層暗淡的陰影。殷小菡歎了一口氣，輕輕地說道：「孔雀大師就是高老大的舅舅！她的父親……」

「小菡！」高老大臉色一冷，打斷了小菡的話，示意她不要再說下去。

殷小菡臉色一紅，調皮地伸了幾下小舌頭，最後對任天行說道：「給你引薦一個人！你別大驚小怪的！」說完轉身就走。

她們兩人的神色盡收在任天行眼裡，任天行心裡暗暗道，這高老大的父親是怎麼一回事？爲什麼不讓小菡說下去？這個小菡要引薦的人是誰？

不多久，殷小菡帶來了一個人，任天行見了之後，呼的一下站了起來，簡直不敢相信，來的這個人出乎自己意料之外。

任天行驚呼道：「雙子！」

雙子也很意外，驚愕了一下之後，也大聲叫道：「任天行！」

兩人都沒有想到，會在這種場合相遇，而且，這個雙子，不是已經跟澤田櫻子用專機送到北京了嗎？怎麼會在這裡？

「高老大，這是……」

「雙子，任天行從今天開始會全力配合我們！」高老大對雙子點了點頭，然後轉頭跟任天行說了一句，「雙子是我們破天的人！十多年前我們的『放蛇計劃』裡面，雙子是主要人物。」

聽到高老大的話，雙子終於放下吊在心口的那顆心，兩人相視了良久，殷小菡咯咯的笑聲打斷現場的沉默，有點得意地說道：「雙子居然是我們破天的人，你是不是很意外？」

任天行瞪大眼睛問道：「你們破天到底是個怎麼樣的組織？還有多少人是你們的人？」

「你見過的，目前就三個人！雙子、何俊泰和金金！」

「金金？何俊泰？黑龍會的老大？」

「沒錯，能夠一次殲滅倉庫一號，就是他的功勞。他的爺爺何天生，跟我們也有淵源。」高老大淡淡地說了一句。

怪不得何博士一到湘西之後，就說要去見一個人，這個人，想必就是何俊泰或者是高老大。

「金金的父親是我們破天的教頭之一，擅長用弓，可惜這人太注重名利，居然跟九菊派的人勾結！」

「金金怎麼樣了？」任天行擔心地問了一下。

高老大答道：「金金被櫻子所傷，幸好被我們救了出來，現在在療傷，半年之後就會痊癒！」

「半年？」任天行驚訝地看著高老大，看來金金傷得不輕。

破天這個組織相當的神秘，甚至可以用不可思議來形容。

SUPER組織成立了一百多年，目的就是爲了破解世間不可思議的事情，並且在很多領域上有著很大的貢獻。這種組織的研究性質似乎很荒誕，甚至不可思議，但是有誰知道，美國太空總署多項在太空中試驗得到的技術支援，就是從這個看似荒誕的SUPER組織中得到的。

SUPER組織的這些成就已經得到了應用，而破天的研究性質和成就，讓任天行更加愕然。

破天的成立，要比刀鋒和龍牙早差不多一百年。破天的歷史悠久，但是使命卻和刀鋒和龍牙一樣，都是報效祖國。

破天在成立初期，使命是救國滅洋，後來是平定天下，到現在是輔佐強國。

破天的雛形，是在鴉片戰爭開始之後，國難當頭，民不聊生，很多民間組織都暗地裡爲國家出力，按照歷史記載來說，義和團可以說是最具有影響力的民間組織，只可惜曇花一現。除了義和團，還有很多的小組織，有幾個在民間很有影響力，而且實力斐然，他們依靠著自己超強的身手，不斷地奮鬥。

而玄門，也有自己的組織。中國的道教、佛教文化影響世界甚深，許多道教和佛教的寶物都在那個時候逐漸流失，道教和佛教的一些人爲了保護自己門派的寶物，暗地裡培養組織了一批高手。

有些激進的人，想以道救國，用自己一身所學抵抗外敵。這類型的一批人，在一個偶然的情況下相遇之後，彼此結盟，形成了一個獨特的門派。

外敵強大，經過數次交手之後，他們終於知道，只靠他們自己，永遠也無法成氣候，因此決定找明君輔佐。

經過一百年洗禮之後，國家終於得救，這個門派一百多年裡，幾乎每一個人的生命都獻給了自己的國土。

「我們破天，成立一百六十多年至今，每個成員都是效忠於國家的。我們人數不多，但是每個人都是精英。我們不是普通人，我們是中國最正統的玄門後裔。」

「玄門？」任天行嘴裡喃喃念了一句。

高老大臉色沉重，大聲叫了一句：「何俊泰！」

「到！」一聲響亮的聲音從外面傳來。來人正是何俊泰，這個一臉陰沉的年輕人，見到任天行之後，微微地向他點頭。

殷小菡說道：「他的祖上是崑崙山孤心道長，侍奉三清真人。孤心道長在一百年前，獨自一人從英國長槍隊一百多號人的眼皮子底下，奪回了我們的國寶麒麟牙。多次把想暗殺林大人的殺手給擊退，最後一人獨戰一百二十人的長槍隊，殺敵過半，力竭而亡。」

「力竭而亡！」任天行心裡一動，渾身的熱血幾乎是被這四個字點燃。當過兵的人自然知道這四個字意味著什麼，它代表著勇者，代表著忠義，代表著視死如歸，代表著豪氣萬千的氣概。

第134章

王婷婷的師父

任天行無語，臉上一紅一白的，心裡狂罵道：王婷婷這丫頭拳腳這麼厲害，這老頭居然說是她半個師父，還跟羅漢堂有關？靠，老子什麼時候闖到武俠世界來了，連少林寺都出來了。

「任大哥，你聽說過麒麟牙這個寶物嗎？」

任天行搖了搖頭。殷小菡微笑了一下，說道：「麒麟牙是真龍天子隨身攜帶的辟邪之物，如此寶貴的寶物，一直到現在，唯有最高領導人才有資格攜帶。」

任天行心裡默默地向孤心道長致敬，這麼一種象徵性的寶物，又怎麼能落入外國人手中？

「秦雙雙！」高老大轉頭向雙子叫了一聲。

雙子應了一句之後，殷小菡說道：「她的祖上，是武當山俗家弟子秦子若，秦家一家五代，有四個人死在戰場。其中一位，是為了從船上救出被騙去美國挖金的二百多名百姓，不幸犧牲。還有一位，是在抗美援朝的時候，利用地遁術，親自背了六十斤炸藥送到美軍的營地，與美軍三個連的人一起消失。」

殷小菡每說一次，任天行眼皮都跳一下。

高老大又連續叫了幾個人的名字，這些人，有茅山派的正統後裔，有少林寺禪堂的後人，有法華寺的傳人，甚至還有一些聞所未聞的門派。

這些人，高老大只是簡單地說了幾句，就讓任天行汗顏不已。

任天行終於知道這個破天是怎麼樣的組織了。

一九五八年，西方的一些宗教和媒體大肆地說華夏文化，其實是個精神毒瘤，利用道教、佛教這種迷信教派誤導眾生，試圖以此充當他們侵華的藉口的時候，破天的一個成員，在第二天現身紐約，在一座三十層樓高的大廈上面，表演了空中飛人的絕技，然後在眾目睽睽之下消失得無影無蹤，最後在號稱擁有最強的保安系統拍賣會上，躲開了那些保安措施，用地遁術成功進入密室。

更誇張的是，第三天，一個大學教授在給學生們講課的時候，說中國功夫其實只是花拳繡腿，毫無借鑑的地方，只是以訛傳訛而已。當天，就有人破謠，一個弱不禁風的女孩，在空手道、跆拳道道館，以一人之力挑戰整個道館的人，而且還表演了一套「鐵布衫」的硬功夫，最後瀟灑地走出了道館，只留下了一句話：「這就是花拳繡腿的中國功夫。」

這一下，讓整個校園譁然，讓整個美國愕然！

諸如此類的事件，數不勝數，任天行拍手叫好之餘，不禁想起了王婷婷這丫頭，在新加坡的時候，她也曾一個人去挑了日本的那些道館。

讓任天行愕然的是，王婷婷居然跟破天有關。

一個長相普通的中年人乾咳了一下，對任天行說：「任老大，王婷婷那小妮子沒少給您添麻煩吧？我這半個師父教導無方。」

「他叫王大海，先祖是少林寺羅漢堂住持！」

「……」

半個師父？

任天行無語，臉上一紅一白的，心裡狂罵道：王婷婷這丫頭拳腳這麼厲害，這老頭居然說是她半個師父，還跟羅漢堂有關？靠，老子什麼時候闖到武俠世界來了，連少林寺都出來了。

破天成員，有道觀的道士，有游方的術士，有門派的武林高手，有佛門弟子，甚至還有尼姑，用「烏合之眾」來形容，一點不爲過。

殷小菡似乎看出了他的心思，咯咯一笑，眾人臉上多少也積了點笑容。他們除了傲氣之外，心裡隱藏的是更多的是無奈。

從破天成立開始，每個人都肩負著重任，他們很想出去闖一闖，但是他們的身份不允許。他們跟宗教有著密不可分的關係，一旦他們在外面曝光，就會給宗教界帶來浩瀚的災難。

破天不同於宗教，因爲破天的成員掌握著宗教沒有掌握的力量，那就是玄門的力量。他們會道術、法術，但是他們把更多的心思放在斬妖除魔、爲民除害上，而不是單單念經。他們深入民間，幫助那些受苦受難的人，而不是躲在禪房裡，天天面對著菩薩。

雙子說道：「不要把我們破天看成像怪物一樣，我們不是鼓吹怪力亂神，相反的，我們擁有最先進的科技！我們中的很多人都是學者，都是高級工程師。」

很難想像，一個老道，一手拿著桃木劍，一手拿著黃色符咒，然後大聲地說：「我擁有最先進的科技！」

任天行臉色漲紅，差點笑了出來，但是聽了後面的話，不禁閉了嘴。

先是高老大的那枝冰箭，這冰箭含有巨大無比的神秘力量，裡面的元素，便是用現代科技，把傳統的符咒演化成了更方便、更強大的武器。

「SUPER是用現代科技來研究我們玄門，這點，我相信你應該知道。而我們破天，是用玄門力量，融入到現代科技來。」殷小菡說得很認真，SUPER跟破天，看似同樣的研究，但是順序不同，研究的效率和結果也就不同。

SUPER組織研究玄門，必然要從中國入手，但由於地域文化的限制和差異，單是國語已經夠這些外國人頭疼了，更不用說其他民族語言，或者是方言的延伸。

這也就是悅月爲何來中國的原因，他們想用現代科技破譯古代玄門力量的秘密。而破天，則用古代玄門的力量融入現代科技。

只是這項研究因爲起步太晚，目前，還是比不上SUPER，不過可以相信，十五年內，破天就能超過SUPER。

「我們已經成功地把符咒的力量融入到現代化武器中，但僅僅只是使用。跟冰箭類似的武器，我們研製了很多，都在試驗階段，因此，需要你的幫助。刀鋒的組長，見識和閱歷都是數一數二的！」

「別給我戴高帽子！一個小時之前，我還不知道天下居然有你們這個組織，嘿嘿！」任天行對著他們冷笑了幾下。

「我們說的是實話！而且，我們目前非常需要你的幫助！任天行，你應該知道秘密部隊編制的機密性！」高老大不冷不熱地說了一句。

這話說得不慍不火，任天行心裡歎了一下，雖然可以理解、可以接受，但是心裡卻極爲不爽。

「我們需要你的幫助，我們極度希望除了你能完全配合我們的行動之外，還希望你的那些朋友能參與其中。」

任天行自然知道，高老大所說的那些朋友，自然就是完顏長風和古晶他們。

「高老大，你別耍我了，我們這些人根本幫不上什麼忙！論身手，王丫頭的師父在這裡，論計謀，我想殷小姐不比周芷慧差，而你們部門裡面的那些高手，隨便拉出都能傲視群雄！」

殷小菡咬著嘴唇說：「你幫我們，也就相當於幫自己！我們破天更重視研究成果，而你負責研究以外的所有事務。」

任天行有一種奇怪的感覺，高老大和殷小菡他們，似乎有很重要的事情隱瞞著自己。先是殷小菡本人，這個人和黑屋的那個殷小菡，有什麼關係？爲何有兩個一樣的人？

後是金金，這個瘋狂的丫頭也跟破天有關，如今正在破天的一個基地裡養傷。而何俊泰這個男人，話雖不多，但是任天行卻暗自留意了好幾下。

「你們跟櫻子交手了多久？」任天行有意無意地看了一下雙子。

「十六年！」

十六年，以破天的能力，居然沒有把九菊派給解決掉，而且還讓他們任意妄爲，這點無論如何也解釋不了。

但是，讓任天行更不敢相信的是，這居然是韋軍長的意思。

十六年前，一次「放蛇計劃」，讓雙子成功地進入了九菊派內部，韋軍長的目的是什麼？任天行沒有問他們，如果韋軍長想讓他知道，自己不問，也會有人告訴他。但是，他不禁暗地留意這幫人，因爲他對破天非常好奇。

高老大先是請任天行參觀了一下破天在F縣的一個地下研究基地，裡面有各種不知名的儀器和設備，基地裡面的人數不多，但是個個看起來卻十分老練。

自稱是王婷婷的半個師父的王大海，有著自己的一間辦公室，一百多平方米的場地，裡面很多的攝影器材，還有顯示器，場地中間有一個圓形的擂台，那些攝影鏡頭就是對準這個圓形擂台。

王大海打開了一電腦之後，叫了一個人進入擂台裡面，爲任天行演示了一遍之後，讓任天行大駭，他這才知道，爲什麼高老大說破天的人每一個人都是工程師，爲什麼說破天是用古代玄門的力量融入高科技中。

電腦裡面，映入一個人的模型，這個人赫然就是在擂台上的那個人，眾多的攝影鏡頭都詳細地記錄著這個人身體的各個地方的資料。

更恐怖的是，電腦上居然能詳細地輸出這個人的體重、高度和出拳的速度、力度、方向，還能預計出這個人下一步要出哪招，最後，把這些資料統計了之後，讓電腦重新計算，以獲得更精確的數據，給出參數。

王大海傲然說道：「我們利用現代化科技，結合我們的武功，對我們的招式進行簡化、更新，以達到更簡潔、更有效、更美觀，更具有威力！」

「這些資料，我們會直接提供給軍方，分爲三等，第三等級是職業軍人，能根據職業軍人的特性，研究出一套實戰性訓練方式，讓他們能在最短的時間掌握最有效的攻擊方式。再高深一等，是第二等，我們會提供給特種部隊，會根據他們的體質和潛能，進行強化訓練。少林羅漢拳的穩、沉、重、勢四個精要字訣，結合了跆拳腿功快、準、狠、敏，演化成一套新的軍體拳，這是最新式的訓練方法。」

第135章

破天基地

這個殷小菡，這個高老大，這個……破天，真他媽的變態。任天行加快腳步，離開了這個該死的破天基地，在這裡越久，他就感覺越不對勁，高老大這娘們，居然還叫他在五彩斑斕屍身上取點血液樣本。

擂台上那個人，正一招一式地演示軍體拳，淡淡的一招居然隱含著強烈的破風聲，電腦上顯示著，這一招的力量達到三百公斤的力度，試想，如果被這一拳打中，會是什麼後果？

這最新式的軍體拳，居然如此霸道，更誇張的是，這只是基本功。

不過，讓任天行感到更驚訝的是，在第一等級裡面，只有少數的人能訓練，而且訓練的時間，跟前面第二、第三等級的正好相反，不強調速成，反而越慢越好，而且要從孩提的時候就開始訓練。

訓練的內容以氣功爲主，招式以陰柔爲主。

「第一等級訓練的人，我們的目標是，一萬人有一人能及格！」

這一萬人，要從小開始訓練。而且，爲了確保這些人的忠誠度，必須是軍人的後人才能進入篩選行列。

任天行深深地吸了一口氣，他知道，這第一等級的訓練，幾乎可以說把中華的武術精華融入電腦科技中。而且，他也知道，能得到第一等級最高層次的訓練，就是爲了剋制第二等級和第三等級的人，以防突變事故。

到了另一間實驗室，只有高老大、殷小菡、雙子和任天行能進去，裡面有一個透明玻璃隔開的房間，透過玻璃看去，裡面什麼都沒有。

「看出什麼了沒？」

任天行搖了搖頭，這裡面空空如也，不明白殷小菡為何這樣問，好奇之下，暗地裡卻把嘰咕給喚醒了。

嘰咕瞟了房間一眼，給任天行一個暗暗的提示，裡面有靈體。

果然，裡面有靈體！高老大給任天行的眼睛滴上一滴液體之後，任天行緩緩地睜開了眼睛，入眼的是，在玻璃的後面，有一個穿著白色衣服的女人飄浮在空中，臉色慘白，黑洞洞的大眼睛裡面閃爍著綠豆大的光，沒有鼻子，黑色的嘴唇裡面咬著一條長長的舌頭。

任天行的第一個反應就是，這是一個女鬼！而且是個吊死鬼！

再仔細一看，玻璃的中心有一層液晶體，液晶體透過電腦的操控，組合成不同的文字，散發出一種淡黃色的光。那種文字非常奇怪，任天行眼睛一亮，居然認出了一個字，那是一個「勒」字，長風曾經用他的精血在自己的掌心上開启掌心雷，其中就是這一個咒文。

看來，那個女鬼不能出來，多數是靠這些咒文起作用。

「她是上吊死的！三百年前！」

「任老大，這跟你手上的一件案件有關！這也就是九菊派去西安的原因。」

「什麼？」任天行失聲叫了一下。

「西安那邊發現了一個奇怪的兵馬俑，上面派了很多棟樑級人物去研究，其中的張院士是研究離子能最權威的人士之一。」

張院士在西安研究所被九菊派的人暗殺，這點不久前已經有了答案。九菊派以紙人爲媒介，把陰煞附在紙人上面，無聲無息地殺害了張院士。任天行雖然找到了真凶，但是還沒有弄清楚他們的目的是什麼。

而這個女鬼居然跟張院士扯上關係。

「我們研究這個女鬼，有十二年了！」殷小菡指著那女鬼，說道，「你看，這世界上真的有鬼的存在，而且，吊死的人成了鬼之後，舌頭很長，是不是跟《聊齋》裡面的描述非常的像？」

殷小菡沒有理會任天行，繼續說她的話：「我們中國人，確信人死之後會變成鬼，而西方人稱之爲靈魂或者鬼魂。但不管什麼方式，都承認人死後，會以另一種形態存在。」

「因此，我們稱這種形態爲靈體！你看一下這個所謂的女鬼到底是什麼！」殷小菡按了一下鍵盤，玻璃上顯示出了一個「卍」字，淡淡的金光射在那女鬼身上，那女鬼嚎叫著躲到了一邊，而顯示幕上面顯示出一種磁性的波狀，有規律地排列著。

「看，這是女鬼叫聲產生的聲波！你再看看，這一組數據。」殷小菡又打開了另一組資料，裡面的形狀幾乎都一樣。

任天行不解地看了一下高老大。

高老大說道：「這一組資料是磁場中離子感應的變化波動圖！」

任天行心怦怦地跳，不敢相信地說道：「妳是說，那女鬼發出的聲音，跟離子感應波動有關係？」

高老大默默地點了點頭，然後指著女鬼說道：「這個女鬼的身體就是一個磁場！這是自磁場反應堆。」

「自磁場反應堆？」

「不錯，所謂的自磁場反應堆，就是自身能製造出一種磁場，而且這種磁場能量源源不斷。我們經過研究，這磁場的能量來自離子能相互反應的轉化。」

「張院士就是這方面的專家。他雖然沒有參加我們這個項目的研究，但是，我們已經提供給他相關的資料。張院士那邊似乎已經有了突破，我希望任老大能出手相助把那些資料給拿回來，就算拿不回來，也不能外洩。」

「原來這樣！」任天行恍然大悟，那個張院士的死亡現場被翻得一塌糊塗，就是缺少了一些關於離子方面的資料，這些資料一定就在櫻子的手上。

這些資料非常重要，爲了防止櫻子他們利用電腦把資料外傳，上面的人早就做好了防範措施，所有一切對外的資料全部進行監測，而且出事之後，高老大他們利用各種手段對櫻子一夥窮追猛打，讓他們沒有歇息的餘地，這樣，就沒有精力把這些資料傳出去。

「好，這點我盡力而爲！」就算沒有高老大他們的這層關係，任天行自己也要把櫻子繩之於法。

不過，讓任天行感到荒唐的是，高老大和殷小菡居然還要求任天行幫助她們拿到至少兩樣標本，那就是中國殭屍和西方殭屍的血液樣本。

「妳們要這個幹什麼？」

「研究！我們要研究這兩種殭屍的不同，而且，我們要進一步研究，爲何蒜精對西方殭屍有很大作用，對我們東方殭屍作用卻不大。更重要的是，我們希望能破譯各種咒語，爲何憑簡簡單單的幾個符號，就能對付殭屍和靈體！」

「破譯咒語？」

「沒錯，破譯咒語！」殷小菡看著驚得合不上嘴的任天行，露出得意的眼色。她碩大的兩眼瞪著任天行微笑道，「這是我們破天最秘密的研究，也是我們破天所有人的目標。」

見過了冰箭，見過王大海的高科技訓練方式，任天行已經折服，把玄門法術、武術融入現代化的科技上，可以說是匪夷所思，聞所未聞。

現在，居然還想破解這種玄門力量的來源。

很難想像，一張黃色符紙上面寫著的一道咒文能產生一種奇妙的力量，又或者是一個手印能發揮意想不到的能力。

這種咒文和手印，一旦被破解，會是什麼情況？

而且，要破解這樣的神秘力量，難度不亞於破解金字塔裡面的各種謎題。不說怎麼樣破解，單是東方的符咒就有三千多種，而手印多達七百種。從驅魔咒、平安咒、健康咒、如意咒等到如來天訣印、觀音蓮花印、三清印記、密宗九字真言印等，這點就夠她們去弄了。

但是，看她們的神色，似乎很有把握。殷小菡傲然說道：「我們雖然不是第一個研究靈體的，但是，我們絕對是第一個把靈體當做物件進行科學研究的。」她瞪大眼睛，問任天行，「你見過有誰研究靈魂，是把靈魂抓來進行研究的？」

任天行只能老實地說道：「沒有！」

「但是我們做到了！」殷小菡嘻嘻笑道，「你看，你眼前的這個鬼魂，就是我們的研究物件，我們花了兩年的工夫，把一個有三百多年歷史的吊死鬼給囚禁在這裡，我們用她來進行研究。甚至，我們對她身上發出的離子能、磁場效應度進行了科學分析！」

如果這話對沒有親眼見到的人說，一定會被笑是瘋子，但任天行知道，她沒有瘋，非但沒有瘋，還理智得很。

「我們還沒有充分的實力把這個鬼研究透徹，因此，我們需要同步進行，我們要研究殭屍，看看殭屍身上的血液跟普通人有什麼不一樣，爲什麼他們怕陽光，爲什麼他們不會死……」

任天行心裡震撼無比，暗自罵道：這個殷小菡，這個高老大，這個……破天，真他媽的變態。

更變態的還在後面，不容任天行多想，高老大一句話，就把任天行說得愕然。

「這個『獵人』是誰，我們都很好奇，但是，我們沒辦法親自去查，只能給你協助，不管是萊恩家族、梅森家族中的一人，還是另有其人，這都需要你親自去做。你在調查這件事的時候，我們只希望你能把我們破天需要的東西給帶回來，那就是殭屍的血。」

「萊恩和梅森家族，幾百年來都是殭屍家族，他們家族中並不是全部都是殭屍，但是，我很肯定地告訴你，來F縣的這幾個人，一定有殭屍！」

任天行加快腳步，離開了這個該死的破天基地，在這裡越久，他就感覺越不對勁，高老大這娘們，居然還叫他在五彩斑斕屍身上取點血液樣本。

「我不擔心你對付不了萊恩家族，因爲有長風和古晶他們幫你，我擔心的是，你們對付不了老祖宗。」

老祖宗就是那個五彩斑斕屍，漢代的將軍——衛府紅林。

第 136 章

聚霧成冰

四周的濃霧就像是被吸入氣牆裡面一般，源源不斷地往裡面投，凝結成一層層薄薄的冰，長風吸了一口冷氣，瞪大了眼睛看著這一奇景，根本不敢相信這兩人居然有這樣的能力，能聚霧成冰。

自己和長風兩人聯手對付紅毛殭屍，差點就喪命。而五彩斑斕屍是屍王中的屍王，比起紅毛殭屍，不知道要厲害多少倍。要自己在這老祖宗身上取點血液樣本，這不是老虎嘴上拔牙嗎？

高老大沒有理會他，把一個盒子塞在他手上，根本不容他說個「不」字。

任天行藉口要離開這裡，他不知道高老大他們還有什麼過分的要求，這個殷小菡居然還開口說想要長風的血樣，被任天行一口回絕。

回絕了之後，這小丫頭，笑瞇瞇地又打古晶的主意，看到任天行臉色不好，那賊一樣的眼光在任天行身上溜達，有意無意地瞟向他腰間的那把槍。

被一個小丫頭這樣「意淫」，任天行不得不趁早離開破天。

他出了破天的基地，第一件事，就是找殷達明！

「爺爺，任天行出了破天！」

「嗯，看來他是要去找殷達明了！」

「爲什麼我們不阻止他！這樣，可以讓他少走一點彎路！」

「現在還不是時候，我們只能在暗地裡幫他，這是主人交代的。」

「但是，爺爺，任天行這一去，會不會有不測？」

「傻丫頭，放眼世界，天下間能殺任天行的人，只有一個！」

「完顏長風！」

「對，就是他！」

「天下間，能殺完顏長風的，也只有一個！那就是任天行！」

「我敢肯定，完顏長風一定不會殺任天行，任天行也不會殺完顏長風！但是，完顏長風卻必須殺了任天行，任天行也一定要殺完顏長風，他們兩人當中，只能有一個存在！」

那幼稚的聲音不禁愕然了一下，最後迷茫道：「那豈不是很殘酷！爲什麼世間不能有喜劇呢？」

「這就是命數！天命如此，誰能逆天改命呢？就算是主人，也不能！」一個老人長歎了一口氣，望著任天行的背影，又徐徐地說道，「我們只能盡我們的能力，幫助他們兩人！」

「他們兩人好可憐！」小女孩哽咽地說，眼眶裡一片朦朧。她不禁望向了破天，這個詭異新穎的科研基地，心裡默念道：「希望你們能有所成就，或許你們能救這兩個苦命的男人也說不定！」

「走吧！去看看長風！」一個白髮白鬚的老頭，拉著一個小女孩的手，轉瞬間消失在細雨中。

南方秋日，一向多雨。細雨濛濛，正對這個城市洗禮，湘西一年到頭很難見到像今天這麼大的濃霧。

一個人影，在濃霧中轉眼即逝，無聲無息的。

這個人的身後，有兩個白色人影，緊隨著那個人飄忽而去。

「賤人！」一嬌罵聲喝起，掌心之處，一團雪白色的東西噴向另一旁的女人。

那女的「哼」了一聲，如鯉魚躍龍門一般，凌空飛升三丈有餘，避開那團白色的東西。

轟！轟！

呺嚓！

那白色的東西打在幾棵大樹上，原本茂密的樹葉，被披上了一層厚厚的雪，隨之而來的是，整棵雪樹碎裂開，爆炸似地化成了一團團的霧氣，短短的一秒鐘時間，幾棵原本傲然聳立的大樹消失得無影無蹤。

長風心裡大叫了一聲「乖乖」，自己要是被這團白色的東西打中，豈不是粉身碎骨？他盡挑人煙稀少的地方狂跑，真怕這兩女人會一時發飆，誤傷其他人。幸而軍區是在郊區，到處可見山巒和荒地。

兩女一來一往，忽而白色如雪的團霧噴出，忽而滿天的綢帶如天羅地網一般漫天盤旋，一個不讓一個。

透過衛星在關注著湘西F縣的美國一個基地裡面，幾個值班的人員鬼叫了一聲之後，SUPER組織的核心人物湯瑪斯教授和幾個上校級的官員，立馬趕了過來。

透過衛星的監視器，可以依稀看到有四個快速移動的點，其中兩個白點，正相互圍繞著打轉。

「教授你看，那是四個人！」

「不可能是人，你看他們的移動速度這麼快，會不會是雲朵？」

「Jonhson，啓動熱能探測儀，看看是什麼東西！」

其實，他們心裡都清楚，這四個點就是四個人，只是他們不敢相信而已。衛星定位之後傳送來的資料顯示，這四個人的位置正是在地面，其中最後一個人，還可以隱隱約約看出，她正開一輛越野車。

Jonhson打開熱能探測之後，沒到兩秒鐘，便大聲地鬼叫了幾聲，之後瞪著大眼睛再看著探測儀。

他不敢相信，因爲那探測儀居然莫名地失靈，而且還冒出一股股的青煙。

魅姬和楊落雪在互相拼鬥的時候，她們同時住手，因爲她們感覺到天上似乎有一雙眼睛在盯著她們，兩人正在怒氣上，信手一揮，一股力量從地面升起，迎著那雙眼睛而上。

價值上億美元的探測儀就這麼被這兩女人一揮手給廢了，難怪Jonhson會大叫，最後湯瑪斯顫抖好一陣，才回過神來，拿起電話狂吼道：「Sharely，趕緊到東經××× ，西經×××去看看！快，不要問爲什麼！快！」

他只會說快，幾乎語無倫次。在軍區裡正發愣的悅月，接到湯瑪斯教授的電話之後，急忙帶著郭心研，借了一輛軍車飛馳而去，看得周芷慧和古晶莫名其妙。Tom原本執意要去，但是身上的屍毒剛剛清完，身子虛弱，只能乾傻著。

在一旁的古晶，不停地掐指而算，周芷慧抬頭看著天空，心裡也在不斷地盤算著，一個是算運數，一個是在算天數。

不管是古晶還是周芷慧，不管是相人還是相天，他們兩人幾乎是同一時刻感到心中發悶，臉上一冷之後，最後心裡都暗自奇道：一點徵兆都沒有！

長風剛剛躍過一個山頭，兩道人影就已經在他面前。他苦笑道：「兩位姐姐，別來無恙？」

楊落雪和魅姬飄落在兩角，同時伸手喊道：「拿來！」

「這個……」長風看著手上的那個方盒，又看了看兩人，無奈地搖了搖頭。

「拿來！」楊落雪冰涼的聲音直入心底，弄得長風全身毛骨悚然，如入冰窖。

「你在找什麼？拿來！」魅姬看到長風不停地在他自己身上摸來摸去的，感覺挺奇怪。

長風無奈地歎氣：「我在找刀具之類的東西，好把這個盒子分成兩半……」

楊落雪冷笑道：「上古寶物，豈是這麼容易就能讓你分開！」

長風望著手上的方盒，給也不是，不給也不是，正在愣頭上，呼的一下，魅姬先出手，那方盒一下從長風的手上飛了出來。

而楊落雪秀目一閃，那方盒又跟著回來了，這一拉一扯的，方盒兩頭就像被繩子拴住，哪邊的力量大就往哪邊跑。

長風正想說話，迎面而來的一股勁風，把他推翻了好幾個觔斗，「噗哧」一聲，整個人摔在背後一百多米遠的地方。

兩股力量的撕扯又開始了！

兩嬌周圍，逐漸形成了一股氣牆，空氣在此凝結了起來，周圍的落葉、殘枝就像是被龍捲風捲起一樣，繞著不停地轉。

四周的濃霧就像是被吸入氣牆裡面一般，源源不斷地往裡面投，凝結成了冰，一層層薄薄的冰，就像是一個天然的罩子，把她們兩人罩了起來。

長風吸了一口冷氣，瞪大了眼睛看著這一奇景，根本不敢相信這兩人居然有這樣的能力，能聚霧成冰。

「破！」

一聲巨響，那一層冰四處飄散，如同天女散花一般，煞是好看。兩個人影從裡面飄了出來，兩個面若冰霜的美女，都嘴角含著一絲血跡，怒目相視。

但是，她們的眼睛在相視之後同時落在了長風的身上。

長風只覺得一股殺氣，就像一把刀一樣，在自己身上來回地旋轉著，隨時有給自己一刀的態勢。

長風強制自己鎮定，眼光落在地上的方盒的時候，已經明白怎麼回事了，那方盒，已經赫然打開。

「玉玲瓏呢？」兩人的目光幾乎是要把長風給吃了，如果說目光能殺人，在這一時刻，長風起碼已經被千刀萬剮，滴血不剩！

「玉……玉玲瓏？」長風吞吞吐吐地說了三個字，腦子飛快地轉，希望能儘快找個能解釋的詞，但越是心急，越想不出有什麼好辦法，總不能跟她們說，那兩個玉玲瓏自己飛旋起來，然後進入自己的掌心吧？

萬一真這樣說，她們一定會把自己的皮給剝開，再把那玉玲瓏給挖出來。想到這裡，他背後的虛汗漸漸地冒了出來，自己在她們面前，弱小得就像是一隻小公雞遇到了兩隻大灰狼。

「小哥，別急，你按我的話去做！」一股聲音居然從他心裡傳了出來。長風心裡一動：這人是誰，怎麼也會一線牽？

第 137 章

萬古

萬古，是一個絕地，再往前，就是落差在一百多米、呈九十度的荒蕪大戈壁，下面有著綠得鮮豔的仙人掌和白森森的骨頭。再往前就會進入被稱為「死神禁地」的沙漠地帶，連死神都不敢去。

對這兩個女人來說，這玉玲瓏意義非常重大，她們相互提防的同時，還盯著長風，兩人目光所及之處，正好封鎖了長風的所有退路。

長風乾咳了一下，微笑著說：「兩位姐姐，有什麼話，不妨坐下來好好說，何必這麼兇神惡煞的？」

魅姬白了他一眼，媚笑道：「小哥，嘴巴先別這麼甜，今天不把玉玲瓏交出來，嘿嘿……」

楊落雪挺起胸膛，冷然說道：「這狐狸精別的本事沒有，媚惑的本事倒是挺大，玉玲瓏她是拿不走了！」

長風左看右看，苦笑了一下，說道：「玉玲瓏就一個，但是妳們是兩個人，給妳們任何一個人，我一定會受罪，可憐我凡夫俗子，肉體凡胎，又怎麼能經得起妳們的折騰。」

「給我！」

「給我！」

兩個人一人一句，冷然相對之下，居然想再次出手。

長風大喝了一聲，手上一個如玉一般的乳白色圓球，拿了起來，喊道：「是不是這個？」

兩嬌女眼睛一亮，貪婪地看著長風手上的玉玲瓏。

長風無奈地笑了一下，說道：「玉玲瓏就一個，現在我也不知道給誰，要不這樣，我把玉玲瓏往那邊一甩，妳們誰搶到就是誰的，但是說好了，搶完了，別把我給扯上，如果妳們同意就點點頭，如果不同意，嘿嘿……」他微微地握緊了手心，大有把玉玲瓏捏碎的態勢。

「好！」魅姬狠狠地咬了咬牙，這天底下，居然還有人敢跟她討價還價。

楊落雪瞪大眼睛看著長風，良久，恨得牙癢癢，最後猛地一點頭。

「兩位姐姐，準備好啦，要不要先做一下熱身運動？」長風故意揉了一下他的肩膀，手臂不停地甩動了一下，見到這兩個女人，不明白什麼叫熱身運動，他撇了一下嘴，說道：「準備！」

長風手臂往北面一甩，臂膀微微一動，兩個女人呼的一下，轉眼就到了一百米開外，但出她們意料的是，長風的手臂並沒有甩向北面，而是扔向了西面。一個白光刷的一下，呼嘯而去，長風居然用上了念力，讓這白玉玲瓏在剎那間，離開了視線範圍。

「可惡！」兩女人咒罵了一聲，粉脖一紅，追著那道光線而去。

一輛吉普車狂飆的聲音，也跟隨而來，開車的人正是王婷婷這丫頭，她喊道：「長風，快上車！」

「走！」長風跨上了車，車子開足了最大的馬力狂飆。

「扣上安全帶！」長風對王婷婷喝了一聲之後，手上印訣一捏，嘴裡喃喃有詞，手指對地一指，大喝道：「神兵急急如律令！起！」

吉普車呼的一下，就像長了翅膀，居然離開了地面三尺多遠，呼嘯而去。

王婷婷剛剛繫上安全帶，那車的速度突然間增快了十倍不止，耳邊盡是呼嘯的風聲，低頭一看，天啊，這哪是自己在開車，根本就是在開飛機，她的視線剛剛看到拐角，吉普車就已經飛過了拐角。

長風睜大眼睛，不停地捏著各種奇形怪狀的手印。

王婷婷知道他這是在用咒法駕馭著這個車，嘩的一下，怪叫了起來：「哇呼！太棒了！」

這個時候她居然還能樂得出來，瞪著她的大眼睛，不停地看著四周，歡呼道：「哇，這才是真正的空中飛車！」

呼嘯聲在後面響起，這不是迫擊炮，也不是火箭筒，而是一個白色的光影追隨而來，呼的一下，閃進了長風的掌心。王婷婷舞弄了一陣，歡呼似乎過頭了，緊接著就是她的驚叫聲：「呀！撞車啦！」

那車正朝一個山頭撞過去，怎麼轉彎也轉不了，就在接觸的一剎那，長風呼的一下，一把拉過王婷婷，兩人凌空離開了車身，飄然落在一側，之後急忙找了個陰暗的地方，匍匐了下來。

「噓！」長風湊著嘴在王婷婷的耳邊低聲地叫了一下，王婷婷不解地轉頭，臉頰和長風的嘴唇碰到了一塊。

兩人身子呼地一震，這意外的一吻讓兩人的心怦怦直跳。

王婷婷的臉頰一下就紅了起來，如果說剛剛那輕輕的一碰是個意外，那麼，後面這個暖暖的唇印絕對不是意外。

長風意外地碰了一下王丫頭的臉頰之後，心跳加速，只是自己腦子突然間一下不好使了，居然趁熱打鐵，在這丫頭的臉頰上再死死地給了一個嘴印。

等他回過神來的時候，他第一個念頭就是：完了，這丫頭一定發飆了。以她的個性，把自己的骨架給拆了也不會甘休的。

等了好一會兒，除了聽到她的心跳之外，這丫頭居然臉紅，不只是臉紅，還心甘情願地趴在地上，不停地喘息，輕哼了兩個字：「色狼！」

這兩個字如果是平時，有著絕對的貶義，但是長風此時卻覺得，這兩個字有著無比的魅力，讓自己十分受用，原來，「色狼」這兩個字居然這麼迷人動聽。

車子爆炸聲響起之後，濃煙冒起，不到一分鐘，兩股無形的壓力就出現在了車子附近。

「人呢？」楊落雪和魅姬急促的聲音讓長風心裡非常緊張。

就在楊落雪和魅姬想搜尋四周的時候，一個蒼老的咳嗽聲響起，長風眼睛一亮，這聲音正是剛剛用一線牽的功法跟自己通話的聲音。

這個聲音非常的熟悉，等這老人出現之後，他不禁睜大了眼睛，不敢相信，這老人居然就是中醫館的那個老醫生，他旁邊牽著的那小女孩，就是阿不。

毫無聲息地憑空出現，讓楊落雪和魅姬也驚了一下。

「阿不啊！什麼人打擾我老頭子睡覺？」那老中醫咳嗽了一下，目光呆滯地看著這兩人。

「小女子楊落雪見過老人家！」原本傲氣萬千、面色淡然的楊落雪居然屈身給老中醫見禮。

魅姬也蹣跚而來，見禮道：「小狐魅姬見過仙長！」

「爺爺！一個是散仙，一個是狐仙！」阿不踮腳，湊在老中醫的耳朵旁，大聲地說了一句。

老中醫似乎耳朵不好使，聽了好幾下，才明白了過來，弓著腰，咳嗽了幾聲，喃喃道：「不見，不見！」一邊說，一邊帶著阿不飄向遠處。

兩女相視了一眼：這玉玲瓏，該不會在這老頭手上吧？急忙跟隨而去。

長風仔細地看了一下那老中醫，他臨去之時，手背在後面，暗自揮舞著，似乎示意他趕緊走。

等三人離開之後，長風呼的一下站了起來，拉著王婷婷低聲說道：「快走！」

王婷婷十分好奇，問道：「這兩個女人，難道真的是仙人？」

「一個是散仙，一個是狐仙！」

「那個老頭……」

「走，先別管她們是仙是妖，咱們先離開這裡才是正事。」

王婷婷正在琢磨著這仙人，沒回過神來，好一陣才問起：「我們去哪裡？」

「F縣我們是不能待了，先出了湘西再說！」長風沉沉地說了一句。這地方，如果再待下去，那兩個女人一定會再回來找他，到時候，就算多有幾條命，也不夠他使。

他其實也知道，自己無論跑到哪裡去，那兩個女人一定會找到自己。古晶現在在F縣，只要這兩個女人不插手，那麼任天行那邊大勢已定，他決定離開湘西就是爲了引走這兩個女人。

他猛然想起了那張羊皮卷，那是一張地圖，等他把地圖的路線詳細地看了一遍之後，嘴裡興奮道：「原來是這個地方！」

「去哪兒？」

「新疆！」長風往地圖上一指，說道，「就這裡！」

長風來到湘西後，老劉把在新疆發現的一些資料給長風看，其中有幾張圖片跟羊皮卷裡面的地形非常相像。

那是新疆西部的一個戈壁地帶，那裡的人稱那地方爲萬古！

一天後，一對年輕情侶漫步在烏魯木齊市市區的步行街。

步行街異常熱鬧，因為正趕上了週末。

「長風，快，你看看這娃娃如何？」王婷婷第一次來到新疆，什麼都感覺新鮮，拿著一個手工織的布娃娃，一臉歡容。

「小姐真是好眼光，這個娃娃叫長生娃，買了之後送給孩子，可以保平安！很多遊客都會帶一些回去送給親朋好友。」

王婷婷一臉笑意，「長生娃」這名字挺吉利，再仔細一看，娃娃背後寫著兩個字：哈爾。想來，哈爾就是這娃娃的名字。

長風微笑著說：「挺精緻的，妳看，鼻子是鼻子，眼是眼的，像妳！」

「喂！是人哪個沒鼻子沒眼的，難道都像我？哼！」王婷婷翻了個白眼，兩手叉腰，活脫脫的標準母老虎。

賣布娃娃的老闆見狀，哈哈大笑，拿起兩個娃娃捧到他們面前說道：「難得遇到你們這麼有意思的娃兒，這兩個娃娃，送你們了！」

「好呀，謝謝老闆！哦耶！」王婷婷拿起兩個娃娃，歡呼著跑到另一邊。

「那怎麼行！」長風客氣地對老闆說了一句，放下了錢，急忙追了上去。

王婷婷拿著手上的娃娃，不停地舞動著，良久，看到長風還沒跟上來，不禁叫道：「長風，快點！」

長風向王丫頭點了點頭，獨自走進了一個賣茶葉的店鋪。

王婷婷奇怪地往回走，見到長風正在店鋪裡面閒逛，這店鋪挺大，茶葉品種也多，但是長風那樣，哪像是誠心進來買茶的，活脫脫一個賊一樣，東看西看。

「你幹嘛？」王婷婷瞪大眼睛看著他。

「妳跟古老頭學了這麼久的本事，現在考驗一下妳！」

王婷婷驚訝了一下，然後大致地看了一下四周，發現沒什麼奇怪的，最後，她注意到長風的鼻子在一動一動的，也皺起小鼻子聞了一下。

「是喜氣！」

「還有呢？」

「檀中帶酥，這是雙喜臨門！」

長風微笑著點了點頭，說道：「不錯不錯，孺子可教也！」

「兩位！需要點什麼？」一年輕小夥走了過來招呼他們，王婷婷兩隻眼睛不停地在這個人身上打轉，看得這年輕人莫名其妙。

「有什麼可以幫忙的？」年輕人被王丫頭看得摸不著頭腦。

「喂，你家有喜事，幹嘛還愁眉苦臉的？」

「喜事？」年輕人嘴裡輕輕地一念，皺著的眉頭依舊沒有打開，苦惱道，「謝謝，承您貴言！」

話音剛落，一輛車在店鋪門口停了下來，一人剛下車就大聲叫道：「哥，哥！喜事，喜事！」

果真是喜事，還是雙喜臨門。

「龍鳳胎！哈哈！龍鳳胎！」一個十七八歲的小夥子眉開眼笑地對他哥叫。

「真的？生了？哈哈哈！生了，還是雙胞胎！哈哈哈！我說怎麼進入產房都十二個小時還沒生，原來是龍鳳胎。」

「丫頭，走吧！」長風低聲地說了一下，拉著王婷婷往外面走，這一下，被那年輕人叫住了。

「兩位！兩位！承您貴言！承您貴言！如果不介意，我請你們喝喜酒，看你們的裝束不是本地人，不如嘗嘗我們新疆的道地菜！」

長風本想推辭，但是又點頭答應了，正好可以問問有關萬古一帶的事情。

關了茶鋪，年輕人帶著長風他們乘車到了一個洋樓下面。

這年輕人叫烏泰，去年剛剛娶的媳婦，今年就生了，他這人性子急，在產房等了將近十個小時，孩子還沒出來，怕自己性子控制不住，乾脆先回茶鋪，給關二爺上炷香，正好給長風遇上了。

他們一家人早就準備好了喜酒喜糖，就差等孩子出生然後慶祝了。得知長風是外地人，新疆人好客的性子完全在酒桌上表現得淋漓盡致。

讓他們愕然的是，這個看起來弱不禁風的漂亮女孩居然一個人把四個大漢給灌醉，然後紅著臉靠在長風身邊。

「長風兄弟，今天真是承您貴言，您可是我們烏家的福星啊。」烏泰自乾了一杯之後，把遇到長風的事情給眾人講了一遍。

眾人趁著酒興，譁然了一番，直歎長風和王婷婷是他們的貴人。

過了不久，這性子急的年輕人居然叫人把他老婆和孩子從醫院裡搬回家，還請了護士在家裡照顧，堅持要孩子來看看這長風和王婷婷。

兩個剛剛出生的孩子，剛剛洗乾淨，還大聲地哭著，可奇怪的是，見到長風和王婷婷之後，居然開口歡笑。

這讓眾人又一次譁然驚愕。

長風也感到奇怪，不過看到兩嬰孩天真可愛，倒也很開心。

不經意間，他看到了一女嬰耳垂處有一顆殷紅的胎記，心裡不禁一動。看到胎記，他想起了自己在泗水村超度的那個女鬼也有這麼一個胎記。

女嬰見到長風，咯咯地笑，眼裡露出一種感激和愛戴的神色，長風心裡歎道：人生何處不相逢？

烏泰一家對長風甚是感激，這兩嬰兒一看不到長風就號啕大哭，烏泰認爲這兩人是福星，堅持多留他們幾天。

長風和王婷婷謝絕了他們的好意，同時把手上的兩個「長生娃」送給這兩個嬰兒，長風和王婷婷兩人順手在布娃娃身上捏了一個平安訣。

說來也奇怪，有這兩個布娃娃在身邊，這兩個嬰兒居然不哭了。

讓長風自己都不敢相信的是，在十六年後，他遇到了兩個對考古非常有研究的孩子。女的叫烏哈爾，男的叫烏長生，他們都隨身帶著一個長生娃。此是後事，暫且不提。

準備了諸多的東西，長風雇了兩個本地人，和王丫頭一起買了六匹馬，往萬古一帶而去。

戈壁和沙漠永遠都分不開，萬古一帶，更顯得特殊。

萬古，只是一個地名，沒有人知道這個名字如何來，也沒有人認真考究過。新疆這麼多的沙漠和戈壁，很少有人知道它們名字，有些甚至沒有名字，但是，當地人卻沒有人不知道萬古的。

因爲那裡是一個絕地，那裡實在太普通了。

除了偶爾有幾個喜歡登山、徒步旅行的人會到那裡照幾張相作爲留念之外，再沒有人對它感興趣。

有哪個笨蛋願意花兩天三夜的時間，徒步跨過兩座大山，然後在炎熱的太陽底下，走八個小時的沙漠，再用半天的時候，在到處都極有可能藏著響尾蛇和毒蠍的戈壁上行走？最後，到了那個地方之後，居然發現這裡就像是天然屏障一樣，讓人感覺到了天涯海角，沒有再往前的路，只能原路返回。

因爲再往前，就是落差在一百多米、呈九十度的荒蕪大戈壁，下面有著綠得鮮豔的仙人掌和白森森的骨頭。

再往前就會進入被稱爲「死神禁地」的沙漠地帶，連死神都不敢去，因爲這是一個流動的沙漠，上一秒你的駱駝還在上面艱辛地爬行，說不定，下一秒這駱駝就

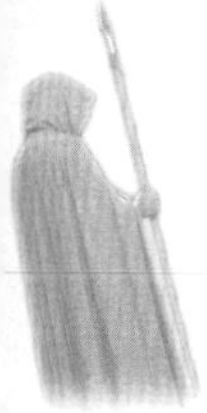

會憑空消失。消失去哪裡了？或許，在沙漠下面你能見到，或許，在沙漠的另一頭露出牠的殘骸。

這就是絕地！

它之所以普通，是因為這個絕地之上，沒有什麼值得觀光的地方，目及之處，盡收眼底。就連樹的長相也實在太抱歉了，抱歉得讓那些觀光客連照相留念都不願意沾上它一丁點。

就是這個又普通又奇怪的絕地，讓兩個當地人陪著長風和王婷婷走了一半的路程，就不敢再進去了。

「撒拉會懲罰每一個闖入的人！撒拉保佑！」兩個本地人拿到了長風付給他們的費用，撒腿就往來時的方向跑，邊跑邊留下了這句話。

第138章

首長

韋軍長向她們揮手之後，看著湘西的整個大地，會心一笑，這次的部署花費了自己二十多年的心血，如今，收穫就在眼前。就在韋軍長離開時候，殷小菡凝望著遠去的直升機，嘴裡發出冷冷的笑……

任天行走後，高老大和殷小菡他們陷入了短暫的沉默。良久，一個穿著便裝的中年人慢慢地走了進來，這個中年人全身最特殊的，就是他那兩撇白眉。

這個一張標準的國字臉上面，一雙金光閃爍的眼睛，還有那迷人的鷹勾鼻，讓原本上了六十年紀的人擁有了至多四十歲的容貌，最重要的是，他身上有一種霸氣。

這個人的到來，讓原本圍在一起的人識趣地散開了，留下的，除了雙子、何俊泰、高老大、殷小菡，還有就是王大海。

眾人臉色略為一緊，微微向這中年人點頭，紛紛敬聲道：「首長好！」

這中年人人微微點頭，示意眾人坐下，眼睛先放在何俊泰和雙子身上，又掃過眾人，高聲道：「大家辛苦了！」

他們沒有說話，但是，他們的眼裡流露出一種難言的感激。這一句簡單的問候，居然讓雙子和何俊泰他們淚眼婆娑。

這個被他們稱為首長的人沉默了幾秒鐘，看著雙子，又看了一下何俊泰，最後帶著沉沉的沙啞聲說道：「能見到破天有這樣的成績，讓韋某深感安慰。」

來人居然是任天行的養父，韋軍長。

「沒想到，短短十六年，我們『放蛇計劃』的七位英雄們，只有小雙和小泰兩位能安然無恙，這是我的責任，我低估了他們。」

「小雙，妳過來！」韋軍長一招手，輕聲呼喚了一下雙子，就像是在愛撫著自己的子女一樣撫摸著她的頭髮。他嘴角微微振動，喉嚨哽咽地擠出一句話，「這十六年，過得還習慣嗎？」

「首長！我……」

「叫叔叔，不管我們什麼身份，我永遠是你們的叔叔！」

「是，韋叔叔！」雙子帶著顫抖的聲音微微抬起頭，韋叔叔又老了許多。

「小雙，這十多年來，難爲妳了！」

「能爲破天效勞，那是秦雙雙的光榮！」雙子一抹之前的神色，說得底氣十足。

「好！好！虎父無犬女，一點也不遜色於妳父親！」韋軍長激動地拍手叫好，仰天喊道，「老秦，我的兄弟，你看到沒有，這就是你的女兒！」

「小泰！」

「到，首……韋叔叔！」何俊泰立馬改口，挺起身子應聲而站。

「嗯，好！」韋軍長大誇了一聲，說道，「又多了幾分成熟，不像十年前那樣，老是嚷嚷要報仇的乳臭未乾的小孩子了。」

何俊泰臉色沉重，鏗鏘道：「仇自然要報！父仇不報，誓不爲人！只是讓他們償命，太便宜了他們，我要連本帶利討回來。」

「做得好！一舉破壞了他們多年的陰謀，讓他們不能得逞，那些人不人鬼不鬼的怪物如今剩下的已經不多，這個利息不簡單。」

「這只是利息而已，韋叔叔，是不是到了該回本的時候了？」何俊泰精神一振，眼睛仇視的火花閃過，期待地看著韋軍長。

「是時候了，不過還需要做點準備，來，你過來，讓我好好看看你！」韋軍長招了招手，仔細地端詳著何俊泰，嘴裡歎道，「小高，你們破天個個都是鬼才，這種易容術，就連我也認不出來！」

「韋叔叔，這易容術是傳自宋朝末年唐家的易容術，我們經過多方尋找，才恢復了不到六成的功力，其他方面還有待研究。」

「小泰，你的身份要成爲另一個人，打入萊恩的內部，一舉把他們拿下。這是資料。」韋軍長把一袋資料遞給高老大。

高老大看了之後，叫一個人進來，把資料給那人。

何俊泰緩緩地點了點頭，把手伸到他腮邊的那顆極品大痣上，用力一捏，把那顆痣給捏碎，然後用力一拉，把一張比髮絲還薄的面具扯了下來。

在這神奇的一拉之下，露出了一張白嫩俊朗的臉。真面目也許太久沒見陽光，顯得格外的蒼白，就連皮膚下面的血管都清晰可見。韋軍長拍著何俊泰的肩膀，低聲說道：「放心吧，我們失去的，一定會加倍拿回來！」

高老大對何俊泰說了一聲，何俊泰點了點頭，跟隨一個人進入實驗室。易容術的最高境界並不是長得像就行，還有那個人的動作、特徵、說話的調子、語氣、性格。最重要的，就是那個人的眼神。韋軍長的那些資料幾乎包囊了這個人的所有特徵，何俊泰目前的任務就是要變成這個人。

何俊泰走了之後，韋軍長還大肆誇了王大海的成果，這種利用古代拳法和現代科技結合的拳術，化繁爲簡，把最直接、最簡單、最有效作爲目標，再加上其他門派的功夫結合，開創了最新式的武術。

「王大海，軍委那邊對你的評價非常高，下一階段，我們將會安排人進入實踐性訓練，你一定要保證實踐過程中的安全。」

「是，首長！」王大海大喝了一聲，滿臉信心說道，「一定完成任務！」

殷小菡微笑道：「韋叔叔，最近任天行身邊跟隨的一個丫頭，就是王大叔的半個徒弟，新式軍體拳第一套試驗對象，現在王叔叔都研究出第三套最新的拳法，一定會比以前的更有效。」

韋軍長皺眉問道：「任天行身邊的那丫頭？王婷婷？」

「對，就是她！」

「好，太好了！」韋軍長拍手叫好，這王大海在王婷婷即將成年的時候，陸陸續續地傳授給王婷婷一些功夫，這些功夫，都是新式軍體拳的拳法和腿法，但這丫頭，平時就懶，並不怎麼認真學，沒想到居然能單獨一個人把人家幾個道館給踢了，單是這份功夫就能震驚整個武術界。

韋軍長拍手叫好的時候，眼裡閃過一絲憂慮：爲什麼偏偏是這個丫頭？

閒聊了些許之後，韋軍長就要起身離開破天，殷小菡、高老大和雙子三嬌同時送韋軍長。上了韋軍長的專機之後，直升飛機飛到偏僻的地方，駕駛員識趣地離開，留下四個人在飛機裡面。殷小菡一眼看透韋軍長的顧慮，說道：「韋叔叔，是不是擔心王丫頭那邊的事情？」

「王婷婷那有什麼好擔心的？我查過她的資料，沒有什麼特殊背景。」高老大不解地說。

「以前是沒有，現在不同，妳別忘了完顏長風那人！」

提起完顏長風，眾人相視了一眼，這個人破天早就關注了，但是一直沒有接近的機會。韋軍長頷首點頭說：「妳們要小心謹慎，別讓完顏長風發現王婷婷跟我們這邊的關係，這個人不簡單。」

「韋叔叔，爲什麼不把完顏長風也請入破天，如果他能加入，我們破天的實力可以增大很多。」

「不行，這個人太特殊！除非他自願來。」韋軍長搖了搖頭，看了眾人一眼，說道，「我一直關注他們一家人，這個完顏家族的人歷代單傳，而且，每一代的人都有非凡的造詣。只是他們跟西藏密宗以及其他宗教關係太過密切，如果把他拉入破天，破天就會露出水面，這將得不償失。破天是我們最高的機密，不到萬不得已，不能輕易曝光。」

高老大點了點頭，問道：「韋叔叔，我不明白的是，以前你一直反對我們跟任天行接觸，這次爲何……」

「因爲任天行已經有資格成爲破天的一員，而且，比起完顏長風，他絲毫不遜色，妳們來看！」

直升機上，一個八英寸的顯示幕上顯示的一個人影，赫然就是任天行，這是在別墅區那裡偷拍的，偷拍得雖然不是很清楚，但是整個過程還是能看得很清晰。

高老大和雙子輕輕地驚叫了一聲，一臉驚愕，那任天行的嘴上居然有兩顆金色的牙齒，眼睛也發出妖異的光。

「這……這是殭屍！任天行他是殭屍！」

「我也不知道他爲什麼變成這樣，妳們也看見了，他已經變得異常強大。小高，任天行的事情就交給妳了，要儘快查出來！」

「是！我一定把這事情查清楚。」高老大點頭的時候，一旁的殷小菡眼裡露出一種奇怪的神色，就連韋軍長和高老大他們都未曾發覺。

如果說任天行是殭屍，那麼，他又怎麼能在陽光下走動？這實在是太奇怪了！韋軍長提到任天行的時候，也緊張了好一陣，心裡興奮道：如果我們有一支軍隊，每個人都跟他一樣，那麼我們在世界的軍事舞台上，沒有人能跟我們抗衡。

「韋叔叔，任天行變成這樣，是不是跟我差不多？」殷小菡淡淡地說了一句。

「他跟妳完全不一樣，完全不一樣！」韋軍長搖了搖頭。殷小菡和任天行這兩個特殊的人，從出生到成年，讓自己花盡了功夫在他們身上。「還有，萊恩家族和

梅森家族的人，妳們一定要謹慎，不要留下任何蛛絲馬跡，我會交代任天行，讓M軍區不要再參與這件事，因為他們沒有能力參與，龍牙組也會在短時間內回到總部。妳們破天，不管用什麼方法，儘快查清那兩個神秘女人的身份。」

提到魅姬和楊落雪這兩個神秘的女人，高老大和殷小菡、秦雙雙面面相覷，按照現在破天的能力，沒有一個人能跟這兩個女人抗衡，要查清她們，最好的方法就是讓任天行去。

直升機飛疾而去，韋軍長向她們揮手之後，看著湘西的整個大地，會心一笑，這次的部署花費了自己二十多年的心血，如今，收穫就在眼前。

就在韋軍長離開時候，殷小菡凝望著遠去的直升機，嘴裡發出冷冷的笑，喃喃道：「螳螂捕蟬黃雀在後，看來，這任天行才是最關鍵的人物。」

她如鬼影一般，在濛濛的細雨裡一晃而去，只留下了淡淡的體香。

不久之後，在破天，高老大和幾個人正在一間秘密的房間裡圍著一台電腦沉默不語，電腦那頭，沙沙的電流聲中漸漸地顯示出幾個異常的聲波。

「快，轉化過來！」

一個穿著白褂的人急忙在電腦面前舞弄著。

電腦那頭把聲波轉化過來之後，聲音顯得很沙啞，但是依稀能聽到雨聲，還有就是一句話：「螳螂捕蟬黃雀在後，看來……」

「不會的，不會的，她怎麼會這樣！是不是那個竊聽器……」

「高老大，別忘了，那個竊聽器是我們破天專用的竊聽器，不會有錯。」

眾人相視了一下，高老大臉色一沉，不言不語。

雙子歎息道：「小菡的犧牲很大，她雖然練成了魅影，但是她一定不甘心。」

魅影是古代道家的真傳，就像一個影子一樣跟隨著別人，一旦練成，只要她願意，沒有一個人能發現她的存在。

要練成這種玄門奇功，就要先做到自己就是影子，影子就是自己，因爲自己沒有影子。沒有影子的人，誰見過？殷小菡就是沒有影子的。在歷史上，玄門奇功魅影，幾乎已經失傳，但是破天居然有這方面的資料，而且成功培養了殷小菡。

只有鬼魂才沒有影子！鬼魂屬於陰體，殷小菡也屬於陰體，她從出生就被用密法練就了純陰的身體。

這種密法相當的殘酷，出生之後，就要讓屍氣侵蝕她全身，用屍水洗禮，一直延續五年，五年裡面，不僅要保證這個孩子的健康，還要保證不會中途夭折。

五年之後，要設一個聚陰陣，在陣裡吸收陰氣，欲達到純陰之身，要看個人的天賦，天賦越高，在聚陰陣裡待得越短。此外，這個純陰之體，還不能在烈日下行走。說白了，要練魅影，就是要捨棄常人的一些生活樂趣。

眾人都知道這樣做表示著什麼。沉默了許久，又顯示了幾段聲波，這聲波轉化成聲音之後，讓眾人不禁愕然大驚。

「主公！」是殷小菡的聲音。

「嗯，是妳！有什麼進展？」一個男人的聲音顯得有點發怒。

「破天那邊已經有發現，我們可以放手了！不過，我有個條件！」

「妳敢跟我談條件！」那男人高聲地問道，最後冷眼看著殷小菡，問道，「什麼條件？」

殷小菡淡淡地說：「我幫你得到你想要的，你要放過任家和完顏家的後人！」

「哈哈哈！妳覺得這可能嗎？」

「不是可能，這是一定！……」殷小菡說話中，突然喉嚨咯咯地傳來嬌喘聲。

高老大臉色大變，說道：「小菡被人掐住了脖子！」

果然，沒過多久，小菡痛苦的咳嗽聲響起，然後，她居然笑了，咯咯地笑，她說道：「你這麼喜歡殺人，怎麼不殺了我？」

「妳要知道，妳的這一切，是上天對妳的懲罰，上天怎麼會這麼容易給妳找到解救的方法呢？」

聲音時斷時續，隱隱約約聽到最後的幾聲。

「你發誓！」這三個字從殷小菡嘴裡說出來，讓眾人不禁覺得有些幼稚，但是，殷小菡卻是極爲認真，堅持要這個男人發誓。

「用女媧娘娘的名義發誓，如果你背信棄義，你會被女媧娘娘再懲罰五千年！」

聲音陸續轉化出來，最後居然中斷，雙子喊道：「快，看看是哪裡出了問題？」

但是這幾聲之後，這竊聽器居然失靈。

而在眾人心裡纏繞的是，殷小菡說的那幾個詞：「女媧」、「五千年」、「你們」！那個男人是誰？她口中的「你們」是什麼樣的人？

「快，派人去把小菡給找回來！」高老大對眾人喝了一聲。

第 139 章

變異之謎(一)

任天行是殭屍！郭心妍忽然覺得全身冰冷，她腦海裡第一個浮現的是萊恩家族的吸血殭屍，如果那些殭屍都跟任天行一樣，能在陽光下行走，具有人的特性，那麼，這個世界……

悅月和郭心妍兩人趕到湯瑪斯教授指定的座標的時候，長風他們四人已經無影無蹤了，兩人能發現的，就是幾棵大樹莫名其妙地消失了，郭心妍認真地把一些奇怪的殘餘東西收拾在一個小瓶子裡。

「心妍，實驗室那邊有結果了沒？」

郭心妍看了一下四周，確定沒人之後，在悅月身邊低聲說道：「我們的所有資料都傳不出中國，看來軍方確實下了一番功夫，把消息封鎖得很緊密。不過，我找了北京的幾個人幫忙，他們利用一所大學的設備，幫我做了一些樣本分析。」

悅月問道：「有什麼發現？」

「從Tom身上的血液樣本推算，殭屍的屍毒具有很強的變異能力，能夠在很短很短的時間內把人體的血液進行改造，對血液有很強的黏性和傳染性，這樣會嚴重影響到全身經脈。」

悅月點了點頭。

經脈可分為正經和奇經兩類，正經有十二，即手足三陰經和手足三陽經，合稱「十二經脈」，是氣血運行的主要通道。

按照這樣的分析，一旦血液變異，影響到經脈，就會造成四肢僵硬，心肌、腦部神經等就會停止工作。

「Sharely，這屍毒很奇怪，我們還需要進一步研究，估計需要至少半年的時間才能得到確切的資料。」

「怎麼會這麼久？」

「半年的時間，還是研究得順利的情況下，一旦中間有變數，還會更久，因爲這邊設備不夠齊全，屍毒一旦因爲時間問題進行再變異，就會影響到原樣本。」

悅月皺眉想了一下，喃喃道：「不行，一定要想辦法把樣本儘快拿到我們的實驗室。這個樣本很重要，影響到經脈，導致心肌停止，生命居然沒有終止，而變成殭屍，這是一個突破性的研究。」

兩人相視了一下，屍毒的重要性自然不容多說。

悅月提醒道：「我們收集殭屍身上的肉，一定不能讓周芷慧他們知道，說不定那東西更有利於屍毒的研究。」

「我已經把那東西放到真空裝置裡面進行冰化處理。還有，妳最後給我的一個樣本，到底是什麼東西？」

「怎麼？有結果了？」悅月聽到這消息，顯得有點興奮。

「手帕上面的那些血液經過分析，裡面的血細胞很奇怪，還有就是DNA和染色體也很奇怪，我們經過一萬多種生物核對，沒有一個是對得上的，這怎麼可能呢？除非這生物還沒有被我們發現。不過，根據染色體和DNA顯示的規律，更接近於我們人類。」

郭心妍好奇地看著悅月，這個SUPER組織最出色、最年輕、最有前途的研究人員，不敢相信居然有這樣的結果，而且，自己也在軍區偷偷做過這方面的檢測，得出的結果相近，這實在太奇怪了。

她抬頭問道：「手帕上的那血液，是從哪裡來的？」

「任天行的血！」悅月吐出了一句話。這是她跟王婷婷去接任天行和長風的時候，任天行受傷時候留下的。

對於任天行，悅月並沒有太在意，但是這個人居然有能力跟長風聯手對付紅毛殭屍，而且她還隱隱看到任天行嘴角那兩顆金色的牙齒，因此，她想盡辦法把任天行的血液樣本留了下來。

只是，沒想到會有這樣的結果！

郭心妍更沒想到，硬是愣了一下，久久沒回過神來。

等悅月把經過跟郭心妍說了一下之後，郭心妍吞了一下口水，嚴肅地說道：「任天行是殭屍！」

「看他的變化，九成就是殭屍！」悅月點了點頭。

「太可怕了！」郭心妍忽然覺得全身冰冷，腦海裡第一個浮現的是萊恩家族的吸血殭屍，如果那些殭屍都跟任天行一樣，能在陽光下行走，具有人的特性，那麼，這個世界……

「能在陽光下行走的殭屍！」

短短的剎那，郭心妍和悅月忽然間眼睛一亮，同時叫了出來：「是他，是他！一定是他！」

「他是光明使者！」悅月和郭心妍面面相覷。

SUPER組織的湯瑪斯教授，要他們來東方尋找光明使者，就是爲了對付那群孤魂野鬼。以KML的能力，目前還不足以對付以萊恩和梅森家族爲主的殭屍家族在西方各個社會階層的活動。

悅月激動道：「我們終於找到了！有了任天行的幫忙，萊恩家族的那些殭屍將不足爲患，我們能夠在白天收拾那些殭屍。」

郭心妍附和道：「沒錯，KML目前的實力，只能自保，如果真要拚，將會兩敗俱傷，不管多麼厲害的身手和武器，只要一疏忽，我們的隊員就會受到致命的打擊。而且，他們匿藏得很好，不容易發現，但是任天行不一樣，他有著這方面的能力，能對抗那些殭屍。」

她甚至樂道：「只要我們KML的人配合任天行，找到那些殭屍，然後任天行纏住那些殭屍，讓我們的人有時間把他們暴露在陽光下，我們就成功了！」

「萬一任天行不幫忙呢？」

「怎麼會？」郭心妍瞪大了眼睛，不敢相信。

悅月淡淡地說：「我們要找出任天行變異的原因，如果我們找到了這個方法，就不需要任天行親自去！」

「對！」郭心妍拍手道，「一個月前，任天行還是個正常人，來到湘西之後不久，就變成這樣了，我們把範圍縮短，我可以從他血液方面著手。」

「好，咱們分頭做，我從他身上著手！」悅月跟郭心妍合作式地一個拍手，回到了M軍區。

「任天行，男，二十七歲，未婚，軍隊出身，軍齡十五年。中國秘密特種部隊刀鋒組組長，亞太區中國國際刑警……」一個男人含著一口芳香的咖啡，躺在咖啡屋裡柔軟的沙發上，不緊不急地拿著手機通話，說到這裡的時候，突然就停頓了。

「怎麼不說了？」電話那頭的人非常生氣，傳來一聲嬌喝聲。

他哈哈大笑道：「悅月小姐，暫時資料就這麼多，妳的錢什麼時候到，我的資料什麼時候完畢。」

「你這男人怎麼一點紳士風度也沒有？」

「哈哈哈！我癲痢剛一向沒有風度，謝謝誇獎！」癲痢剛閉上眼睛笑著，一副吃定人的樣子，十分得意地回覆，「要收集資料，我癲痢剛說第二，沒有人敢說第一，咱們做生意講的是誠信，我不逼妳買，妳也別逼我賣，這是供求，知道吧！」

「一百萬美元，就這麼點消息？」

「那妳以爲能得到多少？」剛子不屑地白了一眼，歎了一口氣，說道，「悅月小姐，看妳跟領事館那邊關係非常……非常……的密切，我想，要再拿個五百萬美元，應該不是問題！」

「五百萬？足夠買下你的命！」

「哇，謝謝，謝謝，原來我的命還值五百萬美元，嘿嘿。悅月小姐出手闊綽，一顆小小的石頭，八千萬妳都沒有眨一下眼睛，何況這區區的五百萬呢？就這樣了，等妳電話！」不容悅月多說，他把電話給掛了。

手機剛掛，馬上又響了起來，剛子看都不看，直接掛斷，嘴裡哼道：「還想跟我講價，沒門！」

點了根煙之後，剛子想了幾下，給一個人打了個電話。

「區老大！你在哪兒？」

「剛子？我在洪武，有什麼事？」

「我過去一趟！你別走開。」

沒過多久，在維多利廣場附近的洪武大廈，剛子到了洪門的總部。

區偉業聽完剛子的話，皺眉說道：「悅月要查任天行的底？」

「沒錯，還再三囑咐，要最詳細的資料！」

「有意思，有意思！這事情跟任天行說了沒？」

「還沒有，這事情我正打算跟他說呢！涉及任天行和長風，就算壞了規矩，咱們也要透露給他們。」

區偉業笑道：「不行，行有行規，不能壞了規矩！你繼續照規矩做事，剩下的我來安排！這小娘們想搞什麼？剛子，你把他們的底細調查一下，我倒要看看，她想下什麼棋！」

「哈，區老大就是區老大，我怎麼沒想到這一步，明天咱們這裡見！」剛子翹著拇指誇了一番，出了洪武。

軍區逐漸熱鬧了起來，派去鳳凰山的那些士兵剛剛回來，後面的一些記者追著那些士兵問東問西的，一直到軍區十里之外才止步，那地方立著一個牌子，上面寫著「軍事管理區」。

明白人、要命的人都知道這意味著什麼，這是軍事管理區，不管是誰，沒有經過批准進入這個地方，軍區可視爲敵人，格殺勿論。

那些記者自然明白這一點，新聞重要，小命更重要，他們都停住了腳步。大石頭對那些記者妹妹又是飛吻又是招手的，回到了軍區。

曾敏儀把周芷慧拉到了一邊，低聲地說道：「有點不對勁！」

「嗯？」

「我發現了點東西！」

「走，我們裡面說！」周芷慧拉著曾敏儀找了個談話的地方。

曾敏儀拿出一個實驗室專用的小瓶子，裡面還有一絲紅色的樣本，她把這東西遞給周芷慧，說道：「看看！」

「這是什麼？」

「悅月的那個助手疏忽留下的，被我看到了。」

「郭心妍？」

曾敏儀點了點頭。

「有什麼不對勁？」

「裡面是血跡，可是不是人的血跡，但是跟人很相像。上午發到總部，總部剛剛發回來消息，DNA和染色體很奇怪，一萬多種生物，沒一個對得上，似乎發現了新的生物。」

「看來，她們有新發現，妳繼續研究，李寶國剛剛回來，這事情交給他來做。」

周芷慧考慮甚深，這悅月是SUPER組織的主要人物，而郭心妍在SUPER裡面也舉足輕重，單是她發明的那些對付殭屍的武器就知道她的能力。

她們在用實驗室的時候，偷偷地研究，看來這東西不簡單，不能輕舉妄動，一定要查明白，只是，她們是任天行的朋友，如果直接跟她們對話，似乎不太禮貌。

想到這裡，她給韋嘯天打了個電話，讓她意外的是，韋軍長居然讓她帶著李寶國先到F縣的一個地方見一個人。

周芷慧雖然不知道這個人的來歷，但是貌不起眼的人居然在短短的半個小時讓李寶國變成了另外一個人，就算是傻子也知道，這是易容術。

易容術在中國失傳了至少有六百年！如今居然在自己面前再次出現。

也就靠著這一點，周芷慧和李寶國在悅月回來的時候，把她們心裡想的事情搜刮得乾乾淨淨。

第 140 章

變異之謎(二)

任天行變成殭屍，只有兩個疑點，一個是韋嘯天，另一個就是任天行到湘西之後的事情。韋嘯天位高權重，如果調查起他會牽涉到什麼樣的後果？

悅月和郭心妍回到軍區之後，周芷慧身邊多了一個自己從未見過的人。這個人目光如炬，和他的眼光相遇之下，居然有一種自己被洞察的感覺，讓兩人不禁哆嗦了幾下。和周芷慧打了聲招呼，閒聊了幾句之後，那個人嘴角微微一笑，就悄聲地離去。

兩人去看望了 **Tom**，這小子恢復得差不多了，正在跟一個女護士扯得緊，就被悅月給打斷了。

周芷慧沒有打擾他們，轉身出去。李寶國果然看出了點什麼，一五一十地把他從悅月和郭心妍那裡知道的消息全部都說了出來。

沒想到，她們在偷偷研究的，居然是任天行！

周芷慧和曾敏儀相互望了一眼，這件事情太出乎她們的意料，沒想到居然會這麼複雜，任天行又怎麼會是殭屍呢？

同樣的問題仍然沒有得到解決。關於任天行的底細，剛子已經把部分的資料告訴了悅月，李寶國簡直是撿了個大便宜。

「周師姐，這事情，要不要給韋軍長說一下？」

周芷慧思量再三，最後說道：「不用，先拖一陣。」

「敏儀，妳想辦法，搶先一步把任天行的資料給查出來，這事情只有妳知我知，別讓第三人知道。」

忽然間又想到了件事情，周芷慧低聲說道：「還有，跟施絲說一下，叫她隨時跟著悅月他們幾個，有什麼動靜就向我彙報。」

以剛子的關係網，費了九牛二虎之力才把任天行的資料搜集到，收到一筆不菲的報酬之後，才把這資料給悅月。

任天行的所有檔案，除了傲人的成績之外，居然看不出有任何可疑之處。自小就被韋嘯天收養，然後在軍隊開設的學校上學，十二歲的時候以孩提的歲數，硬是把兩個成年的士兵給撂倒，正式進入刀鋒組進行特訓。刀鋒的各種任務以及任天行從軍界進入警界之後，甚至遇到長風的一系列事蹟，都詳細地列著，一直到來到湘西之前的前一天。

悅月看著郭心妍和Tom，問了一句：「有什麼意見？」

「沒有什麼奇怪的經歷！除非這些資料不全，不然……」

資料是癲痢剛提供的，癲痢剛這個人極為不簡單，不知道從何處學到這種本事，只要你想要的消息，出得起價格，他就會幫你找出來，而且消息絕對可靠。

悅月著重說了幾次，一定要任天行最詳細的資料。這些資料，是六百萬美元換來的代價，從搜集的方式來看，剛子應該已經做到位了。

「咱們暫且假設這些資料是全的，沒有疏忽的，我們用排除法，看看疑點在哪裡，一個一個解決。」

只是這些資料大多以記錄任天行破解離奇案件的經過爲主，三個人花了半天工夫，仍然沒有破綻。

Tom突然間靈光一閃，用筆急忙記錄下來。

這價值六百萬的資料，最終只圈出了兩個疑點，這兩個疑點也是最普通的，看起來絲毫沒有奇怪的疑點。

第一個，就是韋嘯天，任天行的養父。

第二個，就是任天行來到湘西之後。

任天行的養父韋嘯天，韋軍長，這個位高權重的人，如果調查起他的，估計要更費勁，而且涉及面太廣，這點他們自然也知道。

試想，一個外國組織在中國境內，調查中國軍方首腦級的人物，這樣的事件會牽涉到什麼樣的後果？

「怎麼辦？」

「查，我們換個方式查！」悅月一咬牙，下定了決心，說道，「不管用什麼方法，在最短的時間內，把所有跟任天行接觸的人的口供給套出來！著重放在五個人的身上，任天行的兩個手下、長風、王婷婷、古晶。」

Tom和郭心妍不禁偷偷皺眉，任天行的兩個手下沒有問題，古晶目前正跟何博士在一個地方靜養，自然也不會有問題，王婷婷這丫頭也簡單，只要能找到她就沒事。困難就困難在長風這個人，似乎捉不到摸不著一樣。

悅月一眼就看出他們心裡想什麼，但是假裝沒看到，微笑著說：「韋嘯天的事情交給我！」

要調查韋嘯天，就連剛子都嚇了一大跳，悅月一出手開價三百萬，就是爲了這個事情。剛子驚得從沙發上跳了起來，不敢相信地再次問道：「妳再說一次，妳要查哪位？」

「任天行的養父！」

「韋嘯天？我沒聽錯？」剛子疑惑了一下。

悅月肯定地說了一句：「沒錯！」

過了好一陣，見到電話那頭沒有聲音，悅月追問道：「做還是不做？」

「不做！」

「有生意都不做？這不像剛哥您的作風啊。」

剛子閉上眼睛，無奈道：「不做就是不做！」

他很明白，這活一旦接了，自己這輩子都不好過了，因爲立場問題，要是幫他們做了這個，自己跟漢奸沒什麼區別。

更何況，自己跟任天行多少有點交情，而任天行跟長風的交情不淺，自己曾經欠了長風一條命，不管出於哪個方面，都沒有任何理由做這個事。

「別說妳那三百萬，就算三千萬，我也不做。」剛子冷冷地說了一句之後，掛上了電話。

悅月在電話那頭沉默了好一陣之後，又撥了剛子的手機。

「悅月小姐，盜亦有道，行有行規，這點妳是知道的，我想，我不用多給妳解釋了。」

「剛哥，咱們不談韋嘯天的事情，有一件事情，也許你會很感興趣，這個事情是關於長風的事情。」悅月知道剛子跟長風關係不淺，因此把長風給搬了出來。

果然，提到長風，這小子就來勁了。

「我跟長風、任天行在廣州跟九菊派的事情，想來你也聽說過。」

「略有所聞，據說悅月小姐把我們丟失的東西還給了任天行，這點剛子我也佩服得緊。」

悅月微笑了一下，說道：「我和長風、任天行的交情，就是從那個時候建立的，你欠長風一命，我也一樣，欠他一命。」

剛子愣了一下，想不出悅月說這話是什麼意思。

悅月歎了一口氣，說道：「欠人一命，而且還知道自己的恩人有難，但卻力不能及，那種感覺，非常的痛苦！」

「什麼！」剛子跳了起來，吼道，「妳說長風有難？」

「嗯！」

剛子愣了一下，之後居然不著急，反而哈哈大笑道：「如果有人要對付長風，那麼，這個人一定嫌自己的命太長！」

「如果這個人是任天行呢？」悅月冷冷地說了一句話。

「不可能！」剛子立馬回了悅月的話。

「我也知道不可能，我寧願不相信，希望不會如我所說！」

剛子愣然了一下，這悅月不像是說謊的人，而且她說這話，似乎話中有話，雖然他堅信這不是真的，但是心裡的那一絲疑慮倒是給釣了上來。

「悅月小姐，妳這話……嘿嘿，能不能說得明白點，我怎麼越聽越糊塗。」

悅月心裡暗喜，聽到剛子說這話，看來有戲了，任天行是否對長風造成威脅她根本不知道，完全是自己蒙出來的，沒想到後來任天行居然跟長風兩人大打出手，這是意料不到的。

「你知道殭屍嗎？任天行就是殭屍！」悅月低聲地說了一句。

剛子根本不相信，於是，悅月把在湘西遇到殭屍的事情詳細地說了一遍，再把自己和任天行、長風在湘西這段時間發生的事情說了一遍。

任天行和古晶怎麼力鬥殭屍，那些白毛、紫毛殭屍怎麼死在任天行手上，五行人和倉庫一號又是怎麼毀在任天行的手上。最後，說到長風和任天行兩人聯手對付有千年道行的紅毛殭屍的事情。

這一番話，花費了悅月一個小時的時間，悅月說得非常仔細，仔細得就連任天行牙齒縫裡面殘留的殭屍肉絲都不放過。

「剛哥，長風不是普通人，你我都知道，但是對付紅毛殭屍，居然受重傷，古晶古老爺子也被屍毒所侵，而任天行，如果是一個普通人，憑什麼對付殭屍？五行人和倉庫一號的事情，在長風不在他身邊的時候，他又是怎麼對付的？」

剛子額頭冒著冷汗，狠狠地吸了一口氣，說道：「就算……就算任天行是殭屍，那麼……那麼他又怎麼會跟長風交手？」

悅月眼睛一轉，這話終於到節骨眼上了，要剛子查韋嘯天，就看後面的了。

她整理了一下自己的思緒，然後冷靜地說道：「我們SUPER組織早就研究了殭屍，殭屍沒有感情嗜血，殘忍！」

她擔心地說道：「我擔心任天行在長風身邊會……」

「長風知道了沒有？」剛子說完這句話，不禁苦笑了一下，如果連這點長風都看不出來，那他就不叫長風。

那麼，他們要擔心的，就是如何救任天行。

剛子沉了一口氣，問道：「妳有什麼意見？」

「要救任天行，就要弄清楚，任天行是怎麼變成殭屍的！只要我們把這原因給找出來，借助我們SUPER組織的力量，救任天行的把握會大很多，一旦時間拖延，恐怕……」

剛子是個聰明人，頓時醒悟了過來，悅月扯了這麼遠，回過頭來，就是要他幫查韋嘯天的資料。他驚訝道：「這任天行變成殭屍，跟韋嘯天有什麼關係？」

悅月心裡暗自佩服剛子的反應能力，說道：「你給的資料裡面跟任天行變成殭屍的原因，目前我們找到的，只有兩個疑點，一個是韋嘯天，另一個就是任天行到湘西之後的事情。任何一個可能性，我們都不會放過。剛子，你只要查一下，韋嘯天跟任天行有關的資料那就夠了，其他資料我這裡不碰。」

「好，我幫妳查！一千萬！」剛子狠下心，一口答應了下來，最後居然還不忘要錢，還拋下兩個字，「美金！」

「癩痢剛！你……」悅月大怒，吼起的聲音剛剛起，剛子聰明地掛上了電話。

第141章

變異之謎(三)

院子裡面，一股輕微的呼吸聲逐漸響起，幾乎刺激著任天行身上的每一寸皮膚，每一個細胞。任天行和嘰咕心跳加快，他們聞到了死亡的氣息！那個輕微的聲音居然是五彩斑斕屍！

這條路是通往縣政府的路，F縣縣城並沒有其他縣城那麼現代化，周圍的建築頗有古風，就連道路也是石板砌成的。

任天行自從來到F縣，就一直沒有見到過這個人，但這個人卻已經見過他幾次，那是在自己昏迷中的時候，殷達明來醫院看望他。

任天行腦海裡正構思著這個殷達明的形象的時候，忽然間想到了高老大和殷小菡的要求，不禁苦笑了一下。

一個是要殭屍的血液樣本，一個是要長風的血液樣本。她們要幹嘛？不用問，見過破天裡面的那些設備，知道他們一定是在搞什麼研究，如果說要殭屍的血液樣本，那還說得通，但是要長風的血液樣本，這也太奇怪了。

自己要找殷達明，可說一波三折，之前要來，遇到了九菊派的櫻子，然後又遇到了破天的高老大，如今剛剛出了破天，會不會還有什麼事情？

說巧不巧，任天行苦笑的時候，身邊一個撐著雨傘的人影從他身邊匆匆路過，任天行不禁停住了腳步，全身一顫。

這個人影好熟悉，熟悉得讓自己感覺陌生。

似乎在哪裡見過？而且，這個人影經過身旁的時候，自己居然渾身發抖，讓自己十分不安。他只感到，這個人讓他感到毛骨悚然，渾身不安，一刹那間，雞皮疙瘩都起來了，腦後頭皮發涼。

他身上的嘰咕也呼的一下躥了出來，畏懼地躲在任天行的後面。

這是一種什麼感覺？不只是自己，就連天不怕地不怕的嘰咕也駭成這樣。

任天行基於本能，猛地一轉身，瞪大了雙眼看著剛剛過去的那個男人。那人背對著他，微微地弓著腰，踏步如飛，轉眼就消失在視線中。

那弓著的腰的背影讓任天行兩腳幾乎一軟，差點就跪下。這種奇異的感覺，讓他仿若見鬼。

等他回過神來的時候，都不知道自己嘴角兩側的牙齒什麼時候冒了出來，幾乎是全神貫注地警惕著。

「給我下去！」任天行捂著嘴，心裡稍微安靜了下來，那牙齒才漸漸地消失。

他揉了揉嘴巴，用意念跟嘰咕溝通。

「嘰咕，你有什麼發現？」

「嘰咕嘰咕！嘰咕嘰咕！」嘰咕哼唧哼唧了幾下，瞪著圓圓的眼睛看了一下任天行，沒有搭理他，嗖的一下，又不見了。

任天行的手不停地哆嗦，之前那個人是誰，居然讓自己這樣不安和畏懼？他一邊走一邊想。想著的時候，不時地往後看。

到達縣政府的時候，任天行拿出了他的證件，意外的是竟然吃了個閉門羹，縣政府的一個站崗軍人說道：「縣長吩咐過，白天縣長不見客，如果有事，請晚上天黑之後到他家去。」

「那請問，他家在哪裡？」

那站崗的軍人說了殷縣長的住宅地址之後，任天行臉色一變，居然是離泗水村不遠的一個地方。

又是泗水村！一團團迷霧般的事情劃過眼前。

這就是殷達明殷縣長的家，一個坐落在玄陽寺和泗水村一角的別墅。

雖然說是別墅，但是並沒有想像中那麼奢侈和豪華，簡簡單單地用竹排把一塊地圍了起來，裡面有個大院子，房子挺別致的，很有美國鄉村的那種木房風格。院子裡種了一些花花草草，兩個工人正在忙乎著。

這生活頗爲愜意，有點隱於野的味道。任天行此時此刻不禁對這個殷達明很感興趣，能有這般閒情在這裡生活，一定是一個文雅人士。

「哈哈哈，稀客稀客！歡迎任警官來我們F縣視察，來來來，請坐！請坐！」殷達明滿臉笑容。他一臉紅光，頭上的頭髮幾乎就快脫落光了，一個心形的頭型，一看就是標準的富態人家。

「殷縣長客氣了，來得唐突，雙手空空的，真是慚愧！」任天行微笑著坐了下來。這是第一次見殷達明，一副典型的官場人樣子，任天行心裡有些失望。

但這幾天對九菊派進行圍殲的「活祭行動」，和對那些甦醒的殭屍進行的「滅蟲行動」，自己利用手中的權力，掌控著整個F縣的武力，這樣大的動作，殷達明居然能安心地做他的事而不聞不問，這份定力並不是常人所能擁有的。

此外，矮胖子和賴三生針對他，準備了十多年的「七煞幽冥陣」，就是爲了要把他困在陣中，這點，又讓任天行重新評估眼前這個殷達明。

「哪裡哪裡！任警官這話說得嚴重了不是？你要真敢給我送東西，我還不敢要呢！我可受不起，哈哈哈！」殷達明笑眯眯地給任天行斟茶，這一口官腔，完全不是任天行所想像的文雅人士。

「殷縣長不住縣裡，跑到郊區來住，真是懂得享受啊！」

「郊區好啊，空氣清新，在這裡，能自己清淨清淨，讓自己放鬆放鬆。」殷達明呷了一口茶，顯得悠然自得。

只是任天行跟這人用餐的時候，兩眼直盯著桌子上的肉，滿桌的菜都是肉食類，跟之前他的那種悠然自得之情，完全沒有一點相稱。

這個殷達明，根本就是俗得不能再俗。這樣的表現，讓任天行心裡暗自猜測，這個殷達明，如果不是真俗，那他的城府無疑非常非常的深。

暗中注視了這個人之後，任天行不禁歎了一下氣，以自己的眼力和經驗，居然看不出這個人的一點破綻，如果這個人不是俗人，那麼，只能活該自己倒楣了。

「任老弟，你在F縣的事情應該辦完了吧？這次你們的行動可算是大行動，很少有這麼熱鬧的事情了。」

「嗯，也算是辦完了吧！不然，哪有工夫跟縣長大人一起吃飯啊，哈哈哈！」

兩人哈哈大笑了一陣，任天行忽然想起一件事，他問道：「您是不是有個女兒叫殷小菡？」他想起在黑屋裡面的那個亡靈殷小菡，又想起了破天裡面的那個殷小菡，這兩個人和殷達明有什麼關係？

「小菡！唉！」殷達明忽然間沉默了一下，臉色有點悲哀，最後說道，「這是我唯一一個女兒，十多年前她失蹤了！說起來，都怪我，沒有看好了，這十幾年來找了好多地方，都沒有一點消息。」

任天行注視著殷達明的表情，見他顯得非常的悲傷和失望，心裡不禁愧疚了一下。但剛剛懊悔提起這樣的傷心事，不經意間看到殷達明的眼神，心裡動了一下。這個眼神絕對沒有悲傷的感覺。一個人的表情可以騙人，但是眼神卻騙不了人。任天行心裡罵道：好啊，你個龜孫子，你一直在演戲！

這殷達明的戲演得非常出色，居然擠出了幾滴馬尿，然後哽咽地說道：「這是我一輩子最遺憾的事情，來這裡住，就是想讓自己忘記一點東西！」

敷衍了一下殷達明，任天行假裝離開了這個別墅，暗地裡又偷偷地從另一角盯著這個別墅。一直到了晚上，一輛車來了之後，殷達明才離開了家，隨即，任天行偷偷溜進了殷達明的家。

翻了幾下，沒有找到什麼有價值的東西，只見桌子上面有一張全家福，一個年輕漂亮的小女孩，站在殷達明夫婦的中間，拉著他們的手。

這個女孩一定是殷小菡，那個婦女想必是殷小菡的母親。當時的殷達明，顯得很年輕，一點都不像現在。

他聽到了外面兩個工人的討論聲，探頭一看，原來他們在給花草施肥的時候，挖出了一塊很大的木板，兩人正合力把泥地下的木板挖出來。

好不容易挖出來之後，他們把木板扔在了一邊，任天行注視一看，那木板赫然是一塊大匾，上面寫著「義莊」兩個大字。

「義莊！」任天行看到這兩個字之後，全身就像被灌了一桶冷水。他渾身一顫抖，感覺頭皮發麻，這個地方怎麼會有義莊的牌匾呢？

他忽然想到了離這裡不遠的義莊裡那個老村長、甯祭司、鐵軍，還有那個小孩……甚至，他腦子裡閃過在義莊的那次恐怖詭異遭遇，以及從地底下伸出來的千萬隻猙獰恐怖的手。老村長、甯祭司、鐵軍他們一幫人去了哪裡？是遇害了還是……

任天行非常難受，他感到這些人凶多吉少，先不說在義莊埋伏自己的那兩個人是誰，單單是五彩斑斕屍的出現就已經宣判了這些人的死亡。

把這兩個工人打暈了之後，他站在木匾面前愣了好久，然後目光在四周巡視。四周詳細地看了一遍之後，他又回到了屋裡，繼續探索著，希望能找到一些有用的東西，解開他心中的謎團。

所有地方都搜過之後，他沒有找到任何有價值的東西，最後眼睛卻停留在了一個神壇面前。

這個神壇很奇怪，什麼都沒有，一個紅色籠狀的盒子，裡面用一塊布裹著一樣東西。任天行慢慢地解開那東西之後，突然間愣住了。

那是一件衣服，一件非常古老的衣服，但是，從衣服的材質和裝飾上依然能看得出來，穿這衣服的人是個將軍，因爲這是一件戰衣。

任天行兩眼發光，臉色凝重，他不知道爲什麼看到這個衣服自己會這麼的激動，甚至有一種想對它跪下來膜拜的衝動。

他激動地把這戰衣拿了出來，打開一看，頓時間，整個屋子被戰衣上黃色銅片發出的光照得滿堂通紅，衣服中間的護心鏡明亮耀眼，這衣服的樣式，就算是漢代也未曾見過，這是什麼朝代的衣服？

更讓任天行愕然震驚的是，衣服的手臂上刻了一個很大的「任」字。

衣服裡面，原本光滑的地方，用赤紅色的東西畫著一幅畫，這是一幅有關群山和沙漠的畫，在一個圓圈的地方，點了一個紅點。

這是什麼？地圖？

而在最下面，有三個赤紅色的字，這三個字非常的古怪，任天行回去之後，經過考古隊的研究，歷時一周，才推測出這三個字：破渡劫！

破渡劫？

渡劫是一個地名？一個軍隊？還是單單的……一個人名？

任天行腦海裡空蕩蕩的一片，眼前已有眾多謎團，如今，又冒出了一個「渡劫」，而就在此時，他感覺到了嘰咕的不安。

院子裡面，一股輕微的呼吸聲逐漸響起，那輕微的呼吸聲幾乎刺激著任天行身上的每一寸皮膚，每一個細胞。任天行和嘰咕心跳加快，他們聞到了死亡的氣息！

那個輕微的聲音居然是五彩斑斕屍！

第142章

變異之謎(四)

任天行痛苦地悶哼了一下，鬆開了手，腰間冒出了殷紅的血，五彩斑斕屍的兩手正插在他的腰間。他被五彩斑斕屍高高地舉了起來，重重地摔在院子的地上。

任天行就像一隻猛虎一樣，身影一動，躍出了門，虎目在四周巡視著，眼睛最後落在院子東側的一個屋子裡。

裡面傳來了輕微的啰嚓聲，兩個工人此時剛剛醒來，並沒有留意到任天行，而是聽到屋裡有怪異的聲音，摸著痛楚的後腦，兩人相視了一眼，走進那屋裡。

任天行還沒來得及阻止他們，兩聲驚恐的叫聲從屋裡傳了出來，驚恐的聲音一下間變成了慘叫聲。

濃濃的血腥味，一下間充滿了四周，任天行鼻子一動，居然不由自主地張開了嘴，兩顆金燦燦的牙齒從嘴角處凸了出來，眼睛發出妖異的光。

「嗷！吼！」

任天行喉嚨裡一聲怒吼之下，「轟」的一聲，整個木房爆裂開，一個人影在飛煙中冒了出來。這是一個全身穿著金黃色戰甲的將軍，臉上肌肉僵硬，面呈青色，黑洞洞的眼睛和乾癟的鼻子，讓整個面容顯得猙獰恐怖。

這個將軍橫立的雙手上，還抓著一截手臂和破碎的衣服，這是其中一個工人的殘肢。它把這殘肢甩到一邊之後，傲然站在任天行前面，對他吼叫，似乎在向任天行宣戰一般，脖子上一束束五彩斑斕的毛，讓人不寒而慄，心驚肉跳。

任天行認出來，這個五彩斑斕屍，就是在軍區狂虐的屍王，自己在軍區追著它一直往泗水村跑，如今，它再一次出現！

「好，來得好！省得我再找你！」任天行怒髮衝冠之時，嘰咕冰冷的力量立馬滲透到他身體內，讓他在刹那間靈光激現。他驚撼了一下之後，集中精神力，在心裡念起了「鬥」字訣。

任天行只感覺到，「鬥」字訣就像開啓某種力量一樣，剛剛一運起，從地底下冒出了兩股神秘的力量，沿著他的雙腳，漸漸地把怒火帶來的力量給壓住，腦子逐漸清晰。等他反應過來他眼前的這殭屍是五彩斑斕屍的時候，爲時已晚，他的身子，被這殭屍舉了起來，在急速的飛轉中被甩了出去，身子嗖的一下，踏踏實實地撞在了正屋的牆上。

這屋子本來就是木板做的，極不結實，在五彩斑斕屍這樣巨大的力量下，轟的一下，任天行把這屋子撞塌了一半，另一半搖搖欲墜。

但他居然沒有感覺到任何的痛楚，漸漸地從地上爬了起來，抖了抖額頭上的灰塵，不服氣地對著五彩斑斕屍狂吼了一下，兩拳緊握，腳尖一點，整個身子猛地發出強大的爆發力。那種力量幾乎突破了極限，空氣就像是被剪開的紙張一樣，嗞嗞地發出尖銳的聲音。

「砰」一聲石破天驚的聲音，一人一屍碰撞到一起，之後各自的身子像子彈頭一樣呼的一下向自己的背後打飛。

一陣煙塵過後，好好的一座美國民間木房風格的別墅，就在這次撞擊之下，變成一座廢墟。

「嘰咕！」任天行一咬牙，右手一拍腰間的那把槍，嘰咕呼的一下，在他肩膀上冒了出來，齜牙咧嘴地，兩手叉腰看著五彩斑斕屍。

這五彩斑斕屍好奇地左看右看了一下，見到這小東西居然藐視它，不禁容顏大怒，嘣的一下，躥高三四米，再從天上垂直而下，黑黑的尖甲帶著凌厲的勁氣和腥臭的味道，籠罩在任天行的上方。

幾乎迎面而上，嘰咕那小小的手居然變得很長很長，整個身子放大了百倍，就像一個罩子一樣，往上面衝去。任天行猛地一躍，弓著的身子爆發出強大的爆破力，就像彈簧一樣，也跟隨而上。

「哧哧」兩聲，任天行扯破了五彩斑斕屍手臂，五顏六色的短毛，毛茸茸地呈現在眼前，就像是一條斑斕的毒蛇一樣。

五彩斑斕屍那尖尖的黑甲也劃在任天行的胸膛上，衣服應聲而破，胸膛上被刻上一道很深的痕跡，上面滲出一絲絲殷紅色的血。

「嗯哼！」胸膛那道痕跡，讓任天行痛得悶哼了一聲。他瞪大了眼珠，咬牙怒吼了一下，身上的痕跡居然在這一吼之下，漸漸地恢復原狀，沿著痕跡流出來的血，滲入了皮膚之中。

任天行心裡又驚又喜，這種奇蹟般的恢復，讓他信心大增。他根本不擔心自己變成什麼，因爲他知道，他自己沒有變，變的只是身體而已。

他見識過長風的那種神秘力量，見過龍牙那一群人的各種超能力，也見過破天的異能，原本還有點沮喪，堂堂一個特種部隊的隊長，刀鋒的領頭人，在這群人面前，居然有點自卑，如今，自己也擁有了這種力量，而且，他逐漸地發現了這種力量的用處。

「哈哈哈！」他狂笑了一下，對五彩斑斕屍吼道，「再來！」

呼的一下，他結結實實地打在了五彩斑斕屍的身上，但是，這殭屍居然沒有一點痛楚，而自己恰恰相反，殭屍黑色的指甲劃在自己身上，居然疼痛無比。

他不怕拳打腳踢，也不怕刀槍劍影，被五彩斑斕屍巨大的力量打飛，撞得如此慘烈，也不會感覺到痛，但是，偏偏這個黑色的指甲，讓他吃盡了苦頭。

這個指甲，幾乎就是他的剋星，每一次指甲劃破皮膚時，任天行皺起的眉頭和痛苦的眼色，都讓五彩斑斕屍感到興奮，這傢伙完全就是把任天行當做小老鼠，而自己是一隻貓，一隻頑皮而又狡猾的貓。

只是，讓它感到興奮的同時，震驚、不可置信的那種感覺並存著，他甩不掉身上裹著它的嘰咕，這讓它的動作變得遲緩，幾乎抵消了一半以上的力量。它也不敢相信，任天行身上的傷，一次又一次地癒合，在他把偉岸的身影挺起來的一剎那，身上多了一層淡淡的氣，那一層氣，不斷地吸收著周圍的各種力量，從任天行的傷口進入他的體中，傷口便在剎那間完全恢復。

「玩夠了吧，玩傻了吧，殺不死了我吧！」任天行哈哈大笑，藐視著五彩斑斕屍，猛地大喊一聲，「game over！」

呼喊聲中，任天行對自己的異能已經有進一步的瞭解，整個身子隨著自己的意念，在「鬥」字訣的激發下，變得異常剛勁有力，渾然天成。

一抬手一抬腳之餘，骨骼的那種爆裂聲劈啪地響起，只是一個眨眼的瞬間，任天行已經撲在五彩斑斕屍身上，兩手迅速出拳，拳拳打在它胸膛上，砰砰的聲音響起，直把這殭屍打得連連後退。

而他的速度，就像影子一樣，無論五彩斑斕屍怎麼動，就是快它一步，到最後，任天行兩手居然勒住它的脖子，五指如鋼箍一樣，鎖在那裡不動。

五彩斑斕屍兩隻直楞楞的手在爆裂聲中居然變長，任天行根本沒有想到它這樣變態，就這麼一點疏忽，那尖尖的黑指已經戳向了他的腹部。

以任天行此時的速度，完全可以躲避這一下的攻擊，但是他卻沒有躲，嘴角還微微冷笑了一下，心神一凝，把所有的力量都集中在了他的兩手上。

把你頭擰斷了，看你還怎麼狂！任天行心裡冷喝了一下，猛一用力！

他居然想把這五彩斑斕屍的頭顱給活活地摘下來！

「咯咯」兩聲，隨之而來的是「嗞嗞」的兩聲穿透聲。

任天行痛苦地悶哼了一下，鬆開了手，他的腰間冒出了殷紅的血，五彩斑斕屍的兩手正插在他的腰間。他被五彩斑斕屍高高地舉了起來，在五彩斑斕屍的怒火中，被重重地摔在院子的地上。

「呯」的一聲，地面凹下了一個深深的洞，任天行突然覺得自己整個身體已經不屬於自己，神志逐漸模糊。他心底拚命地嘶喊著，最後，在落地的瞬間，灰塵刺激著他的感官的時候，才讓他有了一分清醒。

他閉上了眼睛，默默地念著金剛薩埵法身咒。他沉寂在這個咒法中，整個大地沉寂了下去，他此刻居然能體驗到，天地萬物之間有著一種息息相關的生命法則，在每時每刻一起共鳴。

他臉上展開了一絲微笑，幾秒鐘之後，他感覺累極了，他想休息，他要休息。而這個時候，腰間傳來了一絲涼涼的感覺，這是嘰咕對他的呼喚。

遠遠的地方，一個亮光一閃，就像是螢火蟲一樣，在這樣的夜色裡，沒有絲毫的起眼，但是沿著那亮光的方向，遠在三公里外的一個地方，兩個人影開始忙碌地收拾他們手中的儀器，那個儀器，居然是科研專用的超高倍夜視電子望遠鏡。

「任天行死了！我們要求立即歸隊！」

「死了？不可能，不可能！」

「已經一天一夜，他躺在那裡一動不動……」

「不會，怎麼可能？他怎麼可能就這麼死了？」

「現在怎麼辦？請首長指示！」

「你們先回來，把監視的錄影帶給我帶回來！」一個男人負手而立，任天行死去的消息似乎讓他極爲不安，過了一會，他拿起了電話，說道：「小高，妳和雙子馬上趕到殷達明的別墅，任天行在那裡出事了。帶上生命一號，不到最後關頭，不要使用！記住，要留一份任天行的血液樣本。」

「明白！」

「敏儀！」

「韋軍長?!」曾敏儀正忙著她手頭上的活，接到這個電話，不禁愣了一下，這居然是韋軍長親自給她打的。

讓她想不到的是，在這個時候，韋軍長居然讓她玩一次消失，要瞞著眾人到一趟F縣，就連龍牙的領隊周芷慧也不能知道。

這幾個監視的人走了之後，任天行在朦朧之間，靠著這種感覺，感覺到有兩個人在他耳邊嘀咕著。

「爺爺，任天行果然不是五彩斑斕屍的對手！他會死嗎？」

「如果這次他能醒來，他將會成爲新一代的屍王！」

「五彩斑斕屍也不如他嗎？」

「爺爺也不知道，五彩斑斕屍是殭屍中的霸者，而殭屍之中，從來沒有像任天行這樣怪異的。」

「他一定會醒來的，他不會死！」一個稚嫩的小女孩很肯定地說。

「如果他死了，梵天密旨上就不會寫有長風跟他的再次重逢。密旨上兩家人的夙怨就會一直延續下去，這故事還長著呢。」一老者欣慰地點了點頭，說道：「最後一步，只差最後一步了，這一代人的夙怨在他們兩人手上完了之後，我就可以放心地把梵天密旨交給妳執掌了。」

「你要到哪裡去呢？」

「回到我這一生一直嚮往的地方，去覆命！」

「那個地方有冰淇淋嗎？」

「傻丫頭，那個地方，比天堂還要漂亮，要什麼有什麼！」

「可是，我不明白，爲什麼我們不早點去呢？非要等這麼久？」

「因爲我們要完成我們的任務，只有完成了任務，才能回去。」

阿不瞪著眼睛，祈求道：「我可以帶小不點去嗎？」

「不行！」

「可是，它真的很可憐，就算讓它再沉睡千年，以後始終還是會醒的，而且，它很寂寞的。」

「傻丫頭，以後密旨上自然會有安排，這麼一個小殭屍，妳帶著它，也許會害了它。」老者合上了手上的一張神秘的卷軸，看了一下任天行。

他徐徐道：「該走了！」

小女孩點了點頭，叫道：「小不點你真厲害，連五彩斑斕屍都怕你！可是我要走了，不能陪你玩，我們會再見面的。」

一個全身長著紅色絨毛的小男孩對小女孩猛地點頭，似乎能聽懂她的意思。

小女孩唉了一聲，歎了一口氣，慢慢地走到小男孩身邊，摸了摸它的頭，然後看了一下地下的任天行，低聲道：「看著他，別讓五彩斑斕屍回來找他！等他醒來，你再走！」

小男孩點了點頭，沉默不語。

一陣淒涼的簫聲響起，小女孩跟隨著一個老者，吹著悠然的長簫，漸漸進入遠方的夜色。小男孩望著小女孩，一蹦一跳地追了十多米，最後停住了腳步，昂首向天空，聆聽著這個悠然淒涼的簫聲。

簫聲傳進任天行的耳裡，這是多麼熟悉的聲音，軍區那些沉睡的殭屍就是給這簫聲喚醒的。

濃重的泥土氣息裡面，似乎有一種能讓人心靈洗禮的力量，任天行手指微微地動了一下之後，忽然感覺到一股暖流灑在自己身子上。

這小男孩正低著頭看著任天行，它額頭上居然有一個類似眼睛一樣的洞，從裡面射出一股藍色的光芒，籠罩在任天行身上。

藍光在任天行身上來回地流動之後，它的頭不斷地巡視著四周。

低沉的吼聲漸漸傳來，在沉重的「呯呯」聲跳躍下，五彩斑斕屍還是返了回來。它用藐視的目光看著四周，遇到小紅殭屍的眼光的時候，對著小紅殭屍低聲怒吼。

小紅殭屍額頭上的那隻眼睛，似乎激怒了五彩斑斕屍，把它最凶最狂的本性給激發了出來。

五彩斑斕屍從遠處蹦了過來，全身的五彩斑斕的茸毛顯得異常的妖豔，身子就像一個黑影一樣，嗖的一下朝小紅殭屍撲了過去。

小紅殭屍弱小的身子跟它比起來，簡直是小巫見大巫，但是它絲毫不懼怕這五彩斑斕屍，兩隻小手突然間爆裂地伸長，朝撲過來的五彩斑斕屍戳了過去。

一大一小的黑影，不斷地吼叫，低沉的怒吼和尖銳的怪叫讓四周充滿了詭異，就連地鼠和沉睡在樹梢上的小鳥，也被嚇得到處亂竄亂飛。

「哧哧！」

一道藍色的光芒從小殭屍眼裡射了出來，打在五彩斑斕屍身上，直接透過屍身，穿了一個大洞。

五彩斑斕屍根本不敢相信，這小殭屍有這麼大的能耐，可是當它瞪著眼睛看了一下自己身子的時候，發出了一種恐懼的低鳴。

小殭屍沒有再接著逼它，只用僵硬的手指了指地上半死不活的任天行，然後尖銳地對著五彩斑斕屍叫吼著，似乎是通過某種語言協商，讓五彩斑斕屍不再找任天行。可是，當五彩斑斕屍搖了搖頭不同意之後，小殭屍的臉上湧出了一股殺意。它臉上紅色的茸毛在一瞬間變得火紅火紅，整個身子就像是烈火在燃燒，不，應該說，它本身就是一團烈火。

小紅殭屍額頭上的第三隻眼睛微微睜開，裡面射出的不再是藍色的光線，而是紅光，紅得要命的光。

一具普通的屍體要變成殭屍，需要很多的條件，而由普通殭屍變成紅毛殭屍，需要上千年的孕育。五彩斑斕屍，是屍中之王，幾乎可以說是成精了的殭屍，就算是火箭炮打中它，也不會死，全身的肌膚已經成了它的護甲，刀槍不入。

但是，畢竟是殭屍，再成精，再有力量，還是殭屍。

這個長著紅色茸毛的小殭屍，自然比不了五彩斑斕屍，可是，它額頭上的眼睛，卻正好是五彩斑斕屍的剋星。

萬物相生相剋，其理盡入太極，也就是這樣，一物剋一物，才能生生不息。

這道紅色的光，讓五彩斑斕屍愕然之餘，身子漸漸地粉碎。但是在它倒下之前，又黑又尖的鋼爪，也在小紅殭屍身上留下了紀念，讓小紅殭屍的腹部和背部開了幾道深深的傷口，流出一股股濃濃的帶著腐蝕性的黑色液體。

第143章

變異之謎(五)

如果能把任天行變異的方式給找出來，那麼，對付這些殭屍綽綽有餘。湯瑪斯教授要尋找光明使者，即是為了消滅萊恩和梅森家族的那些吸血鬼，如果有幾個跟任天行一樣能力的人……

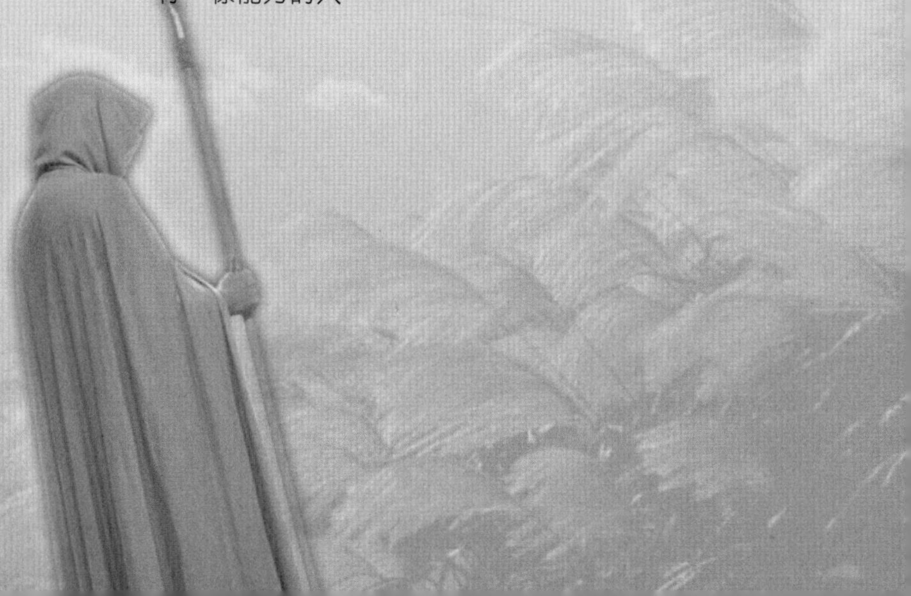

易容術果然神奇，就連周芷慧都看不出破綻，李寶國完成任務之後，她們已經知道悅月的目的。

「老李，這陣子辛苦你了！看你額頭又多了幾根白髮！」周芷慧看著李寶國。這個比自己大十一歲的男人，顯得格外疲倦。

李寶國的異能，也可以說是超能力，就是能看穿人的心思，這是一種讀心術。

讀心術分兩類，一類是先天的，一類是後天的。後天的讀心術，類似於現在的催眠術一樣，利用外界的手段，比如迷魂香之類東西，不知不覺地把人迷惑，雪兒的魅術跟讀心術十分相似，只是這類的功夫早就失傳了。

而先天的讀心術，主要決定於人的天資，從出生之後，就有著一種能力，只要精神集中，就能感覺到周圍的人在想什麼。

這樣的異能，聽起來非常神奇，可是，只有李寶國他們知道，這並不是想用就用的。每用一次，就會消耗巨大的精力。

「我的藥什麼時候到？」李寶國每消耗一次精力，就需要用藥物來補充，這種藥物十分的昂貴，而且保存期很短，所以只能按照所需特製。

「今天晚上會到，而且還有一個好消息，已經研製出了新型的藥物，保存期延長了兩天。」

「真的?!」李寶國驚喜了一下。

周芷慧微笑道：「老李，如果能得到那個叫雪兒的女人身上的一些血液樣本，也許會對你的身體有很大的幫助。而且，上面已經安排了一個試驗，試圖破解殭屍血液的感染原因，找出它們力量的來源，如果成功了，你以後也許都不用靠藥物來補充你的精力。」

「太好了，太好了！」李寶國雖然這樣說，但是心裡卻沒有太過高興。那個雪兒，根本不是人，就連接近她的機會都沒有，如何能得到她的血液樣本？而且，要破譯殭屍，SUPER組織早就研究了，至今仍然沒有大的進展。

李寶國說道：「爲什麼不把悅月她們三人的事情，向上面報告？趁著她們還沒有把資訊洩露出去，應該把她們監控起來。」

周芷慧搖了搖頭，說道：「先不要動她們，悅月是美國領事館大使的女兒，一旦監控她們，會給我們外交部帶來很大的壓力。除此之外，SUPER組織的後台是聯合國，一日事發，就算我們有理，最後這個事情也不了了之。」

李寶國沉思了一下，問：「想不到這些國際組織每一步都算準了我們的顧忌，但是我們總不能什麼都不做。」

「那當然，我們自然要做，而且還要做得漂亮！」周芷慧微笑了一下，很自信地說，「只要把前面兩步做好了，我們穩賺不賠。」

「哦，怎麼說？」

「首先，我們不但不監控他們，還要全力配合悅月，他們需要什麼，我們就給什麼，但是不能讓他們發現是我們特意這麼做的。因此，我打算我們龍牙明天離開F縣，不要讓他們起疑。」

李寶國自然不明白周芷慧爲什麼要這麼做。悅月目前掌握的資料十分重要，如果不及時監控，會導致這些資料流失到外國，只對SUPER組織有利，而現在，她居然還爲虎作倀。

「我們的研究經驗和設備都不如他們，不如讓他們放手去做，借用他們的技術和人力，到有結果的時候，我們分一杯羹。」

李寶國點了點頭，終於明白周芷慧的意思，讓她們放手去做，最後讓自己出馬，把他們知道的東西都從他們腦海裡拷貝過來，這樣，比監控他們會更加有好處。

「不只是如此，我看得出，悅月這丫頭，對任天行似乎不只是感興趣這麼簡單，她已經動情了，而且Tom最近對我們的敏儀也十分欣賞。」

周芷慧意味深長地說：「我們必須給他們這三對人一點機會，煽風點火，把他們三個人的心給留下，讓他們甘願留在中國。即使以後我們是對立的場面，他們對我們也有所顧忌。」

周芷慧說的三對，除了悅月和任天行，Tom和敏儀，還有一個就是郭心妍。她居然用命令的手段，對謝坤下了一個荒謬的任務：一個星期內，把郭心妍給泡下來，生米煮成熟飯。

李寶國心裡震了一下，想不到這丫頭心機居然這麼深，可謂深謀遠慮。

就在周芷慧算計著悅月他們的時候，悅月何嘗不是在算計周芷慧。

Tom拆下了他的手錶，不停擺弄著，這看起來並不起眼的手錶，居然擁有特殊的功能，就是電磁干擾功能，對於竊聽器、電眼等這樣敏感的玩意，有著巨大的磁場干擾作用，讓它們暫時失效。

郭心妍和悅月等Tom弄完了這個，才放心地談話。

悅月問道：「是不是已經驗證了我的猜測？」

郭心妍點了點頭，說道：「跟妳想的一點不錯，他們在監視我們的工作。」

原來他們心裡早就起疑了，來到湘西這幾天，他們需要的設備，居然出乎他們意料的順利，這絕對不是任天行能做主的。因爲，他們需要作一些檢測，裡面需要用到的一些藥物和催化劑，是非常昂貴，甚至敏感的。比如，XT2的催化劑，這種強濃度毒性的化學品，一克就能在短時間內，讓三千平方米內的人於十五秒鐘裡面全部中毒而死，而這樣的催化劑，在國際上是禁止出售的，黑市上的價格，超過一千萬美元一克。

這種催化劑，只有國家研究機構才有能力、有資格用來做試驗，申請手續複雜，但是在這裡，他們居然能輕而易舉地拿到。

這不得不讓他們起疑心，因此，特地在他們用過的儀器上，塗上了一些肉眼也看不見的透明物質，只要有人動過，就能察覺出來。

「幸好我們故意在裡面留了一些比較簡單的東西。看來，我們的速度要快！」

悅月問道：「心妍，妳那裡有什麼發現？」

「任天行的染色體很奇怪，比常人少了很多，而他的DNA結構也發生了巨大的變化，根據總部發來的消息，比萊恩家族的吸血鬼的變異要快上百倍。KML的頭兒已經證實了這一點，KML對付吸血鬼已經非常吃力，如果讓他們遇到像任天行這樣的人，那就等於遇上了死神。」

「任天行這麼厲害？」悅月嘀咕了一下。

「除此之外，更奇怪的是，都是殭屍，都是因爲染色體和DNA的原因而使得它們身體與常人不同，都有著超人的能力，但是任天行卻能接受太陽紫外線和其他射線的照射，而吸血鬼卻不能。」

Tom點點頭，徐徐說道：「湯瑪斯教授要我們尋找光明使者，原來是這個原因，要消滅那些吸血鬼，就得利用以毒攻毒的方式才能奏效。」

「我們目前要做的，第一個，就是以最快的速度，查清楚任天行爲什麼會變成這樣。第二個，是從根本上找出東方殭屍和西方殭屍最大的差異！」

郭心妍眼睛裡閃過一絲凶光，說道：「我們還要做好防護的準備，儘快研製出剋制任天行的武器，一旦他對我們出手，我們還有自保的能力！」

悅月驚訝地看了郭心妍一眼，最後轉頭問Tom：「你那裡有什麼進展？」

「我們帶來KML特製的武器，在這裡對付那群殭屍，沒有絲毫的用處，原因就在於，這群殭屍的皮膚已經乾癟，沒有任何水分。而且，它們身上的屍水，是一種有腐蝕性的強酸，這種酸性液體，有抵抗蒜精的作用。此外，毫不誇張地說，這些殭屍的皮膚抵抗力非常強，蒜精彈頭的威力不夠，打不進它們皮膚內層，所以蒜精對它們不起作用。」

悅月點點頭，說道：「這麼說，如果我們的蒜精子彈威力足夠大，就能夠對付它們了！」

「理論上可以這麼說！」Tom微微地點頭，繼續說道，「要蒜精子彈威力夠大，就要加大它的火藥，火藥加大了，短瞬間爆發的力道和熱度會加大，要求子彈頭重新設計，能承受到這樣高的熱度。子彈的威力，預計要達到原來的三倍！不過……」

悅月皺了眉頭，說道：「這些技術應該不難，還有什麼問題？」

「這只是對紫毛殭屍而言，何博士說，殭屍有等級之分，紫、白、綠、紅，我的這些資料，只是根據紫毛殭屍的樣本進行的推測。」

這些殭屍的毛色，每三百年換一次，也就是說，兩級之間的殭屍，至少要相差三百年。其他毛色的殭屍厲害程度可想而知，單單是紫毛殭屍，就讓Tom和古晶兩人吃盡了苦頭，更不用說其他的殭屍。

悅月自然明白這意味著什麼，完顏長風這個人夠神秘了，跟紅毛殭屍對上的時候，也受了重傷，而且熱兵器裡面，榴彈槍、火箭筒這樣強爆破性的武器，紅毛殭屍受攻擊後居然能夠毫髮無損。

她腦筋一閃，如果能把任天行變異的方式找出來，那麼，對付這些殭屍就綽綽有餘。她甚至還想到，湯瑪斯教授要尋找光明使者，即是爲了消滅萊恩和梅森家族的那些吸血鬼，如果KML有幾個跟任天行一樣能力的人……

天哪，如此荒唐的事情，她居然也能想得出來，居然想要創造幾個跟任天行一樣的怪物。

Tom從軍區裡的那個護士手上得到了王婷婷、古晶的醫療報告，但是看了上面的記載，沒有發現有什麼特別的。

悅月分析了一下任天行來到湘西之後變異的可能性，第一個就是中了瘴氣的毒，在縣醫院住院的十五天；第二個是跟王婷婷追殺櫻子的時候，被五行人打傷，王婷婷傷重住院的那一次。

用排除法，這兩樣幾乎都可以去掉了。如果說是在醫院裡動的手腳，那麼，後面發生的事情就無法解釋。

王婷婷是跟任天行一起追殺櫻子，憑他們的關係，任天行絕對不會這麼疏忽，讓王婷婷受這樣的重傷。唯一可以解釋的是，當時任天行沒有能力對付五行人，兩人都受了重創。如此推算，當時，任天行還沒有發生變異，不然，王婷婷受傷，他怎麼跟長風交代？

那就是說，任天行的變異，很大程度上，跟任天行來湘西之後沒有關係。

郭心妍突然間冒出了一句，說：「難道他的變異，跟長風有關？」

第144章

變異之謎(六)

是誰在設這個局？這就像是一個圈套一樣，一套套著一套，都圍繞著兩個人在轉。一個就是用巨大鐵鏈鎖住，被「如來般若咒」鎮在山洞中的楊落雪，另一個就是從一個神秘木牌裡破牌而出的魅姬。

這話一說，眾人愣了一下，面面相覷！

如果任天行的變異跟長風有關，那麼，這個長風根本就不是人！絕對是個混世魔王，連人體都能夠改造。

悅月搖了搖頭，嘴裡喃喃，自言自語道：「不可能，不可能！」她雖然不願意相信，但是心裡已經動搖了。

不久，剛子把悅月需要的資料弄到了。只是，這些資料看起來都非常平常，沒有什麼可參考的價值。

二十七年前，在廣西中部地區，發生過一次洪災，韋嘯天當時正負責考古隊在廣西十萬大山裡面進行一項工作，受命去支援。

後來救了一個待產的婦人，那個婦人就是任天行的媽。可惜因爲當時的環境和條件，保住了小的卻保不住大的。韋嘯天收養了任天行，視如己出，自小就培養任天行，對他的期望非常高。

悅月皺眉頭看了一眼之後，輕聲對電話那頭說道：「剛哥，這些資料，你覺得有什麼特別的嗎？」

剛子不明白悅月這麼問的意思，十分不悅道：「這些資料本來就沒什麼特別的，但是，我可以肯定地跟你說，除了我，沒有人能，也沒有人敢查這些資料。」

「不要誤會，我相信這些資料的真實性。」悅月知道自己的話讓他誤會了，以韋嘯天和任天行的身份，他們的所有資料都非常機密，能拿到這個程度的資料，已經算非常不錯了。

她微笑道，「我的意思是說，這些資料似乎沒有什麼特別的，韋嘯天收養任天行是合情合理的。」

「老任現在怎麼樣？」剛子點了點頭，擔心地問了一句。

「他現在很奇怪！」悅月想了半天，覺得只有這個詞能概括她所要表達的意思。

「剛哥，你再多花點時間，看看還有什麼資料，哪怕是一點平常的資料也行。」悅月隨口一說，沒想到這一句話，讓剛子找到了一條看起來很不起眼的資料，而找到了任天行變異的原因。

兩人掛了電話之後，剛子始終放心不下，最後給古晶發了一個消息：找長風幫任天行！

古晶和何博士早就發現了任天行的不同，如今兩人已經奮戰了一天一夜，埋頭在一大堆的書裡面尋找他們需要的資料。

剛子發消息給他的時候，他神色漠然，低聲喃喃道：「我已經盡力了，我已經盡力了。」

「老古，你看！」何博士拿著一本厚厚的書，一臉興奮，似乎找到了一些他們需要的資料。

「創世紀，第六章，這是寫該隱的。」何博士左手拿著一本《聖經》，緊張地用筆劃了出來，右手拿著一本古書。

亞當和夏娃被逐出伊甸園之後來到荒野，並且生了許多孩子。其中該隱是老大，同時也是世上第一位人類。他是個農夫，和牧羊人弟弟共同生活。

有次兩人照例向上帝獻祭，由於弟弟畜牧之便，奉上的是豐盛的肉食，該隱的青菜蘿蔔便招來上帝不滿。該隱憤而謀殺了弟弟，翌日上帝問該隱他弟弟哪裡去了，他辯稱不知。上帝怒道：「不，我不會殺你，而且我知道你以後一定會被人唾棄。所以我給你一個與眾不同的記號，這樣你就會讓別人知道你不該被殺——只是儘量折磨你罷了。」

古晶湊過頭去，看了之後說道：「該隱所受的天譴便是終生必需靠吸食活人鮮血，並且永生不死。很多人都表示，這是吸血鬼的來源，該隱是吸血鬼之祖。」

「你再看看這個，《舊約》裡，亞當的第一個妻子，因不滿上帝而離開伊甸園，並教導該隱如何利用鮮血產生力量以供己用。」

說到此，兩人相視了良久，不約而同地說：「莉莉絲！撒旦的情人！」

兩人又翻了一本很古老的書籍《史傳》，上面一行很簡單的字，讓他們兩人不禁吸了一口冷氣。

「兩軍大戰，商軍敗退，西逃！將軍重傷，偶遇其女，白髮藍眼，膚色蒼白，其名古怪，稱莉莉絲，飲其血後，傷癒！」

「這個莉莉絲難道就是《聖經》上面的莉莉絲？」

「很奇怪，如果莉莉絲是《聖經》上的，那麼，怎麼會給這將軍飲她的血？反過來說，如果不是《聖經》上的莉莉絲，那麼，這個將軍為何要飲她的血？難道她的血有起死回生的功效？」

古晶沉思了一下，說道：「咱們做個假設，如果這個莉莉絲是《聖經》上的，那麼這個重傷的將軍根本沒有能力飲她的血。假設這個莉莉絲不是《聖經》上的，這個重傷的將軍，飲了她的血後傷癒，這就表示，這個將軍是一個殭屍！只有殭屍才能靠人血而恢復自己的能力。」

何博士點了點頭，又搖了搖頭，說：「這個莉莉絲，也很有可能跟《聖經》上的那個是同一個人。」

「怎麼說？」古晶好奇地看了一下何博士，何博士淡淡說道：「如果這個將軍是殭屍，他飲了莉莉絲的血，又不想讓她死，那麼，這個莉莉絲就會被同化。」

古晶瞪大眼睛，拍手說道：「如果被同化，她也就是殭屍?!」

兩人相視了一眼，天，如果這個假設是成功的，那麼，《聖經》上記載的，完全跟他們的假設符合。莉莉絲變成了殭屍，教導該隱利用鮮血產生力量來供己用，這個觀點完全得到支持。

如果這個假設成立，這就是一個歷史大發現！眾多的歷史謎團都會得到解答，商朝的這個將軍，是西方的吸血鬼的老祖。

「看看前面的記載，也許有發現！」古晶叫了一聲，翻開了這前面的幾頁，繼續研究。

「梅大夫惹怒紂王，賜炮烙刑，誅連九族。其弟楊伯侯爲保全一家，送上古寶物與黃將軍，中途遭劫！」

「上古寶物是什麼？」古晶皺了眉頭，這段記載，跟古代神話《封神榜》很相像。往下看，他們居然同時失聲。

「黃將軍？難道就是黃飛虎？」

「錯不了！」

「老古，你看這一段，楊家逃難的這女子，叫楊落雪，被妲姬的部下追殺長達兩年之久，最後被逼至北海之巔，雖得兩神秘人相助，卻重傷不治身亡！」

說到北極，古晶腦海一閃，想到了玄陽寺背後的山洞裡的「如來般若咒」！任天行跟他說過，那個飛出來的女人正好叫「楊落雪」！

想到此，他不禁冷汗直下。

「老何，你還記得不記得楊落雪說了一句話？」古晶顯得有點激動，「楊落雪和魅姬在軍區大打出手搶那個方盒的時候，楊落雪說那個方盒裡面的東西是她父親不辭勞苦，送給黃將軍的禮物，但是卻被魅姬他們用卑鄙手段搶去！」

那麼，這本書記載的上古寶物，就是楊落雪和魅姬要搶的「玉玲瓏」，而魅姬，就是紂王的人！

何博士聽到古晶這麼一說，也愣了好久。

兩人又翻了許多資料，爲了找到更有價值的線索，江衛華派人用專機，按照古晶和何博士的要求，把當地的一些書籍連夜送了過來。

「把那個往西逃的將軍資料給找出來，還有那兩個救助楊落雪的神秘人！」古晶和何博士已經沒有時間和精力去感歎這樣荒唐神秘的事情，他們的心思都放在了這些謎題上。

這些謎題，看起來跟任天行沒有任何關係，但是長風擺脫了那兩個女人之後，用千里一線牽的咒法，跟古晶說了一句話：任天行已經按照卦象，完全融入這個局，這不是一個意外，卦象上早就顯示了，只是沒想到是任天行。

要破解這個局，就要先淸楚整個事情的脈絡，只有這樣，才能救進入這個局的所有人！

是誰在設這個局？這就像是一個圈套一樣，一套套著一套，從任天行到長風，從古晶到何博士，從悅月到破天，看似理所當然、沒有巧合的世間，都圍繞著兩個人在轉。

這兩個人，一個就是用巨大鐵鏈鎖住，被「如來般若咒」鎭在山洞中的楊落雪，這個可以揮手成冰的女人。另一個就是從一個神秘木牌裡面被任天行的血啓動了之後，破牌而出的雪兒，楊落雪又叫她魅姬。

而這個神秘的木牌，跟長風身上帶的一個木牌幾乎一樣，長風在進入萬古路上的時候，就拿著這兩個木牌不停地研究，他手心裡的兩顆玉玲瓏，不停地低吟。

隊伍在前面停止了，領隊的當地人不停地搖手，堅決不繼續走下去。長風也知道，再下去，就進入了萬古的地域。

舒了一口長氣，長風做了一下準備，因爲他知道，到萬古之後，不知道有什麼變異，而且，手機的信號已經非常弱。

「長風，再下去不到半里地，我們的唯一通信工具就會失效。」王婷婷搖了搖手上的那部手機。

長風點了點頭，找了個高點的地方，給剛子打了個電話。正好這個時候，剛子正愁著找不到他呢，兩個恰好遇上了。

讓長風驚訝的是，剛子查到了一些非常秘密的資料。

第145章

奇怪婦人

那孕婦一臉驚恐，軍醫給她做檢查的時候，發現她的瞳孔已經擴散，這就表示著，這人已經死了。但是意外的是，她又活了過來，右大腿內側缺了一大片肉，差點就看到骨頭，而手臂處，有兩個肉洞，就像是被子彈打進肉裡一樣。

剛子花費了很大的精力，動用了自己所有的力量，就連洪門老大區偉業也感到好奇，這是近十年來，第一次動用這麼大的關係。

他調查了韋嘯天二十多年前在廣西十萬大山的前前後後，並利用各種手段，從參與那次考古工作的人當中，證實了一件事。

當時紅水河河堤崩塌，紅水河附近的村莊一夜之間被淹沒，死了很多人，韋嘯天帶人趕到的時候，滿眼都是被水泡得發白發臭的屍體。

他們一個連的人，能做的就是把這些屍體就地掩埋，以免發生瘟疫。屍體一堆又一堆，一共七百多人，讓他們這個連的人整整埋足了七天七夜。

就在他們即將返程的時候，韋嘯天發現了一具屍體，唯一一具遺漏的屍體。

那是一個孕婦，挺著大肚子漂浮在水上，等他們把這孕婦撈上來的時候，發現這人居然沒有死。她的眼睛睜得很大，一臉的驚恐，仿若見鬼一般，眼珠白多於黑。最讓人驚奇的是，一個懷著孩子的婦人，體重非常非常的輕，而且，依她皮膚的顏色來看，她在水上不低於七十二小時。

不知道是天意還是巧合，被救上來的那天，這孕婦居然生產了，隨行的軍醫剛剛把孩子成功接生，這孕婦就死了。

那天，剛剛出生的這孩子沒有哭，這一個連的人輪流照顧這孩子。

出乎意料的是，這孩子不僅不哭，從來都沒生過病，而且餓了也不叫嚷著要吃東西，給什麼吃什麼。

一個小戰士逗他玩的時候，不小心讓任天行把一顆子彈給吞了下去，眾人臉色大變，以爲這孩子定然活不下去，可是，這孩子居然絲毫未損，令人稱奇。

韋嘯天覺得這孩子跟自己有緣，因此收養了他，取名天行，意思就是，天行健，君子以自強不息，這句話來自《周易》。而這個姓氏，是韋嘯天從孕婦那裡得知的。

長風歎息了一下，說道：「想不到任天行這小子挺不容易！」

「老大，這期間，還有一件事情非常奇怪，要不是巧合，這件事情就永遠沒有人知道。」剛子很幸運，親自調查這個事情的時候，正好遇到一個他認識的人，這個人因爲販毒而被通緝，在被追捕的時候，剛子幫過他的忙。

讓他沒想到的是，這個人的爺爺，當年曾參與那次考古工作，也是唯一一個知道此事的人，因爲他的爺爺就是那個軍醫。

因爲這層關係，這軍醫把當年的事情告訴了剛子。

發現那孕婦的時候，那孕婦一臉驚恐，軍醫給她做檢查的時候，發現她的瞳孔已經擴散，這就表示著，這人已經死了。

但是意外的是，她又活了過來，她甦醒的那一刻，活活把軍醫嚇得尿褲子。

只是這婦人甦醒之後，並沒有說話，似乎她的復活，是爲了把身體裡的孩子給生下來。軍醫給她接生的時候，發現了她右大腿內側缺了一大片肉，差點就看到骨頭，大腿的那塊肉，看起來很像被撕下來一樣。

而她的手臂處，有兩個肉洞，就像是被子彈打進肉裡一樣，只是跟子彈打的不一樣，那兩個肉洞跟被狗咬之後的形狀很像，但是一定不是狗。

生產了之後，這婦人就死去，而這個小孩，生命力非常旺盛。韋嘯天當年私下找軍醫瞭解了情況，並嚴禁他跟任何人提起這個事情。

「老大，是不是很奇怪！」

長風點了點頭，疑惑道：「爲什麼韋嘯天不讓軍醫說出去呢？而且這樣的事情，任天行自己也不知道，這有點不符合情理。」

剛子的這些資料讓長風疑惑了好一陣。王婷婷聽完之後，背後的傷口一陣酸痛，這是被那非人非鬼的殭屍所傷，眉頭一皺之後，開玩笑地說了一聲：「說不定那婦人手臂上的兩個肉洞，是被殭屍所咬！」

她沒想到自己無心的一句話，居然讓長風失聲叫了一下：「屍棺！」

「什麼屍棺？」王婷婷被他嚇了一跳，木棺、金棺、石棺她是見過，但是這屍棺，從來沒有聽過。

長風沉沉道：「那軍醫也說了，發現那婦人的時候，已經是死亡症狀了。如果她被殭屍咬了在先，要死而復生，不無可能。」

王婷婷瞪大了她的雙眼，不敢相信，一個人如果被殭屍咬，不是死，那就是被同化，變成殭屍。這個婦人最後死去，那就是說，根本沒有被殭屍咬。奇怪的是，既然沒有被殭屍咬，那麼她又怎麼能活過來，一直到孩子出生？

長風沉沉道：「別忘了她大腿缺的那塊肉，她很有可能是因爲失血而死，在她臨死的時候，有人想救她，可是，已經晚了。」

「有人想救她？」

「也可以說，這個人，不是人，是殭屍！」長風淡淡地說了一句，讓王婷婷感覺到頭皮發麻。

「不可能！殭屍怎麼會救人呢？」王婷婷被長風這推論驚得合不上嘴。

五行人、倉庫一號，以及甦醒的那些殭屍，都是沒有理智、沒有智慧的，它們根本不能思考。殭屍如果不能思考，怎麼救人？反過來說，一旦殭屍有思考的能力，那這個世界，會變成怎麼樣？

長風也知道這種推論不妥，但是心裡卻有一種很強烈的感覺，這種感覺讓他認定，一定是殭屍所為。

「假設真的是殭屍所為，那麼，失血過多的婦人，被殭屍咬了之後，最後還是死了，那麼，她體內的嬰兒，一定會受到屍毒的影響。」

王婷婷哈哈大笑，說道：「你這假設一定不成立，第一，如果屍毒進入嬰兒身體裡，就沒有今天的任天行。第二，屍毒的感染力非常強，那婦人如果真被咬了，只要她沒有斷氣，就一定能活過來。」

這丫頭跟古晶待的時間不久，但是知道得倒是挺多，長風搖頭苦笑道：「想不到古老的這半個徒弟，腦筋倒是好使。」

「那當然，也不看看我是誰！」王婷婷得意一笑，兩隻眼睛一眨一眨地故意拋向長風。

剛剛得意一下，就被長風潑了冷水：「如果那婦人是斷氣之後，被殭屍咬呢？

人的大腿內側的肌肉，能聯繫到人體的所有部位，把大腿內側的肌肉撕下來，就是為了刺激整個身子的短暫血液流動。」

「你的意思是說，有人把她大腿肌肉給撕下來，就是為了要救她？」

「對，可惜太晚了，不過萬幸的是，沒有救成大人，倒是救活了任天行。」

「也不對啊，如果任天行是被屍毒所侵，就算不死，早就變成殭屍了，可是，一直到最近……」

「妳少考慮了一個因素，那就是胎盤裡的能力。生命的胚胎，豈是這麼簡單就能讓外毒給入侵的？」長風微笑著說，「你知道SUPER組織嗎？」

王婷婷點了點頭，這不就是悅月他們所在的組織嗎？

「SUPER組織的一個研究專案，就是研究胚胎能量，但是到目前為止，已經有差不多三十年了，仍然沒有一點進展。這比研製核武器更困難！任天行之所以不死，很有可能是屍毒在入侵胚胎的時候，已經被稀釋，一直到最近才恢復他的本性。」

王婷婷找不到任何可以推翻長風的理由，但是對這個推測還是不贊同，畢竟這是推測，沒有實際證據。

長風也知道，自己只是根據主觀意識去推測。只是他沒想到的是，他後來進入萬古古墓的時候，得到的答案居然跟他推測的非常相近。如果沒有來過萬古，根本想像不到萬古是什麼樣的一個地方。

一男一女，兩人一前一後拉著馬慢慢地走，入夜，火辣辣的白天漸漸地變得涼快了，長風的對後面的王婷婷喊道：「丫頭，把咱們買的大衣給穿上。」

「不要，這麼爽快的風，我要多享受一會兒！」這是一天裡面，最讓人愜意的時候，沒有白天的炎熱，也沒有晚上的寒冷，涼爽的風就是最好的催眠藥，讓在戈壁裡行走的人，在這個時候昏昏欲睡。

長風看到王婷婷盤起頭髮，仰著白嫩嫩的脖子，一副享受的樣子，不禁看呆了一會兒，實在不忍心破壞她這時候的心情。

這樣的美景不長，長風後悔了，王婷婷也後悔了。他們終於知道，當地人爲何三番五次不厭其煩地叮囑他們，一旦起風的時候，要在十分鐘內把特製的衣服套在身上的原因了。

才十分鐘，一轉眼，那涼爽的風就變了，變得凌厲無比，帶著滿天的風沙呼嘯而來，就連馬匹也亂成了一團。

第146章

死神禁地

這片死神禁區，不到一個上午，已經吞下了四匹馬，這流沙是活的！兩人面對著就算是死神也害怕的流沙，居然面不改色，整個身子往前面飛，並排著踩著沙子狂奔。

六匹馬根本不敢動，牠們相互挨著，挨得緊緊的，圍成了一個圈，把長風和王婷婷包圍在裡面。

滿天的風沙，就像是落雨一樣迎面而來，讓人根本無法躲避。上面落下的，前面吹來的，後面迴旋而來的，從馬匹肚子底下躥上來的，只是半分鐘，兩人就像嘴裡含了一口乾巴巴的沙塵，喉嚨又乾又嗆。

「丫頭，我扶著妳，妳把買的衣服套上。」

好不容易扯出了特製的衣服，王婷婷慢慢地把扣子解開，天啊，這是什麼衣服，簡直就是醫療隔離服，只是材質不同。

全身的布料沉甸甸的，就是那種比牛仔還牛仔的麻布和牛皮混合而成，根本不透風，而且韌性極強。

如果不熟悉這種衣服，要穿好了最少需要三分鐘。王婷婷好不容易把衣服套上了，還沒來得及扣上扣子，一股強大的氣流從馬匹身下往上躥，那匹馬驚叫了一聲，被這股氣流沖得離地一米多高。那件不透風的特製衣服在這樣強大的氣流作用下，膨脹成了一個氣球，呼的一聲飛上了天，王婷婷掛在上面，等她明白過來的時候，人已經升空十多米。

她大驚失色，喊道：「救我！」

長風心一沉，在王婷婷「飛升」的時候，猛地一跳，整個身子躍出馬匹身高才不到一半，那凌厲的風沙就襲天蹈地撲來，他就像風箏一樣，被吹出馬匹圍成的包圍圈，翻滾了幾下。

聽到王婷婷的叫聲，他狠狠一咬牙，手指一彈，一股勁風破空而去，把那特製的衣服給打斷，王婷婷的身子從上空急墜而下。

「唵嘛呢叭咪吽！去！」長風呼的一下，脫下了他身上的衣服一甩，衣服在他的咒法中，鋪開了一大片，載著長風向王婷婷飛馳而去。

接下王婷婷之後，他們根本連眼睛都睜不開，這風沙實在太大了。等腳尖著地的時候，長風使出了地遁術，呼的一下，兩人眼睛一黑，再一亮，又回到了馬匹圍成的圈子裡。

半晌，這風沙過去了，雖然沒有十二級颱風那麼誇張，但是這樣說來就來的風，讓他們吃盡了苦頭。

兩人蓬頭垢面，滿身泥沙，鼻子、嘴巴、眼睛，甚至連耳朵都沾滿了塵土，抖了好一陣才稍微好一點。兩人相互看了一眼，居然還能相互指著哈哈大笑。

王婷婷心裡一片溫暖，找到那件衣服，打算拿給長風穿上。只是衣服抱在懷裡的時候，「嘶嘶」的兩聲細響，讓她感到奇怪，低頭仔細看的時候，不禁面容失色。

兩條花花綠綠如小指一般的蛇蜷成一團，正在虎視眈眈地看著她，猛地一咬，兩條蛇速度如閃電一樣飛向她的臉。

兩條毒蛇速度快，王婷婷更快，本能地用手一抓，一邊一個，之後用力一甩，把兩條蛇扔到了遠處。

扔掉了蛇，她才驚叫了起來：「蛇啊！」叫聲中，她想到那滑滑黏黏的東西，雞皮疙瘩立即起來了。

這個戈壁，讓他們走了一天一夜。王婷婷再次問起的時候，長風還是那句話：「不遠了，過了這個戈壁，再過前面那個沙漠，然後再過一個戈壁，就到了。」

「不遠了?天啊，你有點創意好不好，不要老是這句話!你都說了一百零一遍了，一百零一遍！」王婷婷看著炎熱的太陽和一望無際的戈壁，不禁叫苦了起來。

長風拿出身上那張羊皮卷，看著上面的地圖指向。他知道，過了這個沙漠，就是一個戈壁，在那個戈壁的一端，就是他們的目的地。他們真正見識到了什麼叫戈壁，什麼叫沙漠，爲什麼稱此地爲「死神禁區」！

六匹馬分散成了一個扇形，徒步前進，他們兩人離著馬匹幾十米遠。王婷婷對著長風叫道：「爲什麼你不買駱駝？」

在沙漠裡，駱駝絕對比馬好用。但是，到後面王婷婷就知道馬的用處了。

六匹馬在沙漠中，一直都是呈扇形走，相互遙望著，根本不用長風他們驅趕。其中一匹馬陷入流沙地帶的時候，叫喊了一聲，眨眼就消失了，其他馬匹急忙往四處分散跑，躲開了一同陷入的危機。

馬的靈敏和速度要比駱駝高得多，牠們能在第一時間內做出應有的反應，讓他們兩人少了很多風險。

這片死神禁區，不到一個上午，已經吞下了四匹馬，長風和王婷婷身上帶的，除了水還是水。除了要小心翼翼地不讓自己陷入流沙區之外，他們還要隨時隨地提防著沙漠裡的毒蠍。

死神禁地，連死神都變色，更不用說人了。就在他們慶幸快要走出這片沙漠的時候，他們瞬間感覺地動山搖，兩人低頭一看，腳下的沙子正不停地翻滾著。

天，這流沙是活的！

等兩人意識到這一點的時候，前面的馬匹已經漸漸地陷入沙子裡。雖然這流沙是活的，但是速度卻不快，要命的是，居然一大片一大片，面積非常的大。

「扔下身上的東西！」長風大叫了一聲，就連水也要全部扔下，一件不留。

長風擁著王婷婷，低聲說道：「知不知道裘千仞？」

「《射雕英雄傳》裡面的鐵掌水上飄？」

「我們來學學他的輕功！」

「好！」

兩人面對著連死神也害怕的流沙，居然面不改色。他們相互拉著手，把身上的負重都去掉之後，就像一對神仙俠侶，身子輕輕一動，先是躍到了馬匹的身上，借力腳尖一點，整個身子往前面飛，並排著踩著沙子狂奔。

他們沒有瘋，也沒學過什麼水上飄，但是他們卻相互地配合，在一個人著地之後，另一個人用力一提，把對方的重量加在自己身上，讓對方輕輕落地之後藉著跟地面接觸的力道，又帶起後面一人。

如此默契配合，兩人就像是踩著沙子在嬉戲一般。

看起來如此浪漫和神奇，可是長風和王婷婷心裡都緊張得要命。他們知道，只要其中一人的配合稍微慢半拍，兩人可能就會永遠留在流沙的下面，說不定千百年之後，後人會指著一具骷髏說：「看，這人死得連副棺材都沒有！」

終於，他們逃出了死神禁地，在雙腳觸地的時候，兩人雙腿一軟，雙雙倒地。他們的兩腿已經麻木了，不只是體力上的累，還有心理上承受的壓力。

兩人躺在地上，不停地喘息，長風苦笑了一下：「怎麼樣，後悔了吧？」

「後悔！」王婷婷呻吟了一聲，說道，「後悔怎麼不早點認識你，這麼好玩的事情，我還是第一次玩！」

「我的媽啊！」聽到王丫頭居然樂此不疲，長風不禁怪叫了一聲。王婷婷咯咯地笑，還接了一句：「乖兒子，來，媽媽疼你！」

「……」

過了沙漠又是戈壁，過了這個戈壁，就是萬古古墓的入口。

王婷婷病了，高燒不止，因爲沒有水，因爲沒有食物，因爲沒有任何補給，白天差不多近十二個小時的五十多度高溫和晚上冷得讓他們亂跳舞的低溫，溫差相差四十多度的情況下，他們兩人只能靠體溫來維持生命。

王婷婷在迷迷糊糊中，感覺到自己嘴裡一甜，又暖又濕的東西流入了她的嘴裡，由於饑餓和乾渴，她不停地吸吮著。

如此幾次之後，她的高燒漸漸下去了，人也清醒了不少。在又一次醒來的時候，她猛地看著長風，眼裡一紅，淚水奪眶而出。

長風正要把自己的手腕塞往她的嘴裡，手腕上面幾道刀疤清晰可見。

她明白了過來，原來這兩天昏迷的時候，自己喝的居然是長風的血。

「你這個笨蛋！你這個笨蛋！你怎麼能這樣，你怎麼能這樣！」王婷婷哽塞地哭著，兩隻秀拳不停地打在長風的身上，最後撲了上去，不斷地哭泣著。

長風抱著她，看著手腕上流出的那一絲血。這個時候他沒有去安慰這丫頭，反而用嘴吸了一下手腕上的血，擠出一句完全跟這個時候搭不上氣氛，讓人又好氣又好笑的話：「嘿嘿，別浪費了！」

一群人正在烈日底下埋頭挖掘的時候，不約而同地抬起頭，看著遠方的兩個人影，不敢相信地叫道：「有人來了！」

「王博士，前面有一男一女！」

一個戴著眼鏡的老頭從一個帳篷裡面跳了出來，拿著望遠鏡看了又看，最後叫道：「天啊，是他們！大家快去迎接！」

所有人都不敢相信，這兩個人是一步一步走著過來的，居然能通過死神禁區。但看著眼前這兩個全身破爛、滿臉疲倦的神色的人，又不由得不相信。最讓他們驚愕的是，王博士居然認識他們。

一個叫長風，一個叫王婷婷！

更讓他們不敢相信的是，這兩個人雖然一身疲倦，但是見到王博士之後，居然還微笑著跟王博士禮貌地打招呼，然後跟眾人招手示意，等回到安排的營帳的時候，整個人才倒下。

水是這樣的甜，這還是他們第一次感受到水是這樣的好喝。

麵包也是這樣的香，伴著水一起往肚子裡嚥，兩人狂吃了一餐。

這兩人就像是兩個惡鬼一樣，風捲殘雲地掃光了桌子上的東西。然後挺著高高隆起的肚子，又爬上床去睡了一覺，這一覺，睡了整整十八個小時。

洗澡，吃飯，再洗澡！

終於有了點人氣，終於有了點人樣，兩人臉色好多了，見面了之後，居然哈哈大笑，然後踏步走出營帳。

第147章

萬古的古墓

地下室，一盞明燈投射出幽幽的光芒。長明燈，是盜墓者最不願意看到的，凡是親手碰過長明燈的人，不是意外死亡就是身染重疾，又或暴斃而亡。這些死亡的人，都有一個特徵，就是眼睛化成一灘黑水。

墓口已經被王博士帶領的考古隊挖掘開了，雖然經過了半個月，但是進度並不理想。說是挖掘開，其實只是把墓口前面的幾個大岩石砸開而已。萬古這個地方號稱是死神禁地，根本沒有幾個人來過，考古隊的人員和設備都是靠直升飛機運輸。所以，這裡的條件自然也很有限。

兩個考古工作人員向上面招了招手，一個擔架從山壁上面徐徐地放了下來，王博士笑吟吟地說道：「歡迎光臨萬古古墓，請上觀光電梯。」

顯然，這個墓口就在山壁上面。長風和王婷婷抬頭一看，墓口離地面有十層樓之高。上面的一個人對著下面喊道：「快上來，一次只能一個人。」見到長風和王婷婷不理解，王博士旁邊的一個助手得意地說道：「這是唯一能上去的方法！」

在這樣陡峭的山壁上架一個擔架並不難，先用直升飛機把人運上去，然後在上面找穩固的著力點，經過眾多程式，就能架起來。

什麼叫唯一能上去的方法？難道沒有這擔架，就不能上去了嗎？王婷婷心裡挺佩服他們，但是卻十分不服，噘嘴哼了一聲，用手摸了摸山壁。

那助手丈二和尚摸不著頭腦，不明白自己哪句話得罪了博士的朋友。長風哈哈了一下，說道：「王博士先請！」

一番謙讓之後，王博士先上了擔架，擔架徐徐上去的時候，王婷婷白了王博士的助手一眼，冷笑道：「姑娘我今天不用這擔架，一樣能上去！」

說完，她向長風示意了一下，兩人一前一後，就像猴子一樣，利用山壁上的凸起的石塊、樹根，一前一後躥了上去，讓山壁下面的那個助手看得目瞪口呆，張大了嘴巴看著。

對普通人來說，這麼陡峭的山壁，要爬上去難如登天，就算是專業的登山運動員也不敢碰。但是對於長風和王婷婷這樣的高手，這是小菜一碟，只要山壁有裂縫，只要山壁有凹凸不平的石塊，只要山壁有樹根……總之，只要山壁不是像鏡子那樣滑，他們就能上去。

攀爬這山壁，他們如履平地。王博士到達墓口的時候，長風他們兩人已經在等著他了。墓口的六個考古人員，就像看怪物一樣看著他們。

「中華絕學，中華絕學！」王博士愕然地看了他們良久，才吐出了一句話，最後興奮地拍著他們的肩膀說，「好，好！」

王博士不是第一天認識他們，但卻是第一次見到他們的身手。當初在西安的時候，老劉和任天行請他們來協助，他就知道這兩人不簡單，但是他沒想到的是，這兩個人居然身負絕學。

古墓的入口是一個岩洞，岩洞裡面冰冰涼涼的，與外面的溫差非常大，岩洞上面的石鐘乳還不斷地往下滴著冰涼的水。

這個岩洞非常寬廣，說話的回聲非常大，四周呈一個圓形，中間有一塊非常大的岩石。但是誰能想到，這個古墓的門，居然是一扇圓形的石門，而且是在中間的那塊岩石下面？

長風看了好一陣，眼光停留在那扇門上面。

門上痕跡斑斑，但是依稀可以判斷出那是一道符咒，是一道直接用利器在門上畫的符咒，然後用朱砂再沿一道道痕跡抹上。這是一道封印符，畫符的人一定不想讓人把這門給打開，不然也不會下這個符咒，這個符叫「禦雷咒」！

王婷婷左思右想，最後才想起這個符咒的名稱，沉沉說道：「禦雷咒！」

兩人相視了一眼，看了一下四周，除了王博士跟著他們之外，其他的工作人員似乎很忌諱這個東西，躲得遠遠的。

王博士見長風要伸手去摸那門，急忙喝道：「別碰，小心！」

這個門上面的符咒，非常的邪門。考古隊發現這門的時候，有一個工作人員好奇地摸了一下這門，「轟」的一聲大響，整個岩洞就像是個帶電體一樣，把他們那群人電得幾天說不出話來，頭髮朝天豎直，七孔冒煙。最直接觸摸的那個人，差點休克。從那一次起，沒有人敢碰這個門，這也就是王博士為什麼把資料發給老劉，叫老劉請長風來幫忙的原因。

只是王博士沒有想到，長風來這裡，很大的原因是因為那卷羊皮卷上的地圖，這是一份藏在玉玲瓏盒子裡面的地圖。無巧不巧，老劉給他的那些資料，正好有這扇門的相片，門上的這道符咒的畫法，是出自他們完顏家族的。

長風微笑著點了點頭，慢慢地伸出了他的手，眼睛裡閃過一絲精光。

他五指張開，往那門印去，手心一道紅色的光，就像是火團一樣不斷地翻滾。

手和門相觸的時候，整個岩洞發出陣陣如龍吟一般的低沉聲音。

「哧哧哧！」

石塊和石頭相互摩擦的聲音響起，在這樣一個空曠的岩洞裡不停地震盪，就像是鬼嚎一樣尖銳刺耳。

長風抱著一個圓柱形的石鐘乳用力一扭，大岩石下面那扇形的門大開，裡面射出亮光，帶著一股濃濃的黴氣。

過了良久，等那黴氣散得差不多的時候，眾人都圍了過來。這扇門下面居然有一個石梯子，下面閃爍的亮光不停地跳躍。

進入了地下室，地下室的拱頂上面，一盞明燈投射出幽幽的光芒。四周牆壁的壁龕裡亮著一盞盞的燈，燈被精巧的罩子罩著，整個地下室猶如白晝。

眾人好奇地巡視著四周，王博士激動地叫道：「這些燈，是長明燈！」

長明燈，是盜墓者最不願意看到的了，據說遇到長明燈的盜墓者，會受到詛咒。考古工作者對此瞭解甚少，又沒有機會見到。長明燈之謎流傳至今，仍然沒人有實際的證據去解開這個謎，因爲見到它的機率非常低。

王婷婷對於考古方面知之甚少，不明白王博士和這些考古的人爲什麼這麼驚訝，不就是一個燈嘛。可是，她仔細一想之後，就發現了這燈奇特之處。

那扇門是用「禦雷咒」封住的，一般人不可能能進來，但是他們進來的時候，這些燈早就燃了的。

「天啊！你們看，這石壁都炭化了！」讓她吃驚的是，這些專業的考古人員看了長明燈上面黑糊糊一片，有著眾多細孔的石壁，震撼地叫了一聲，面面相覷，臉色怪異，最後吐出了一句話，「這些燈竟然已經持續燃燒了一千年以上。」

一千年以上，鬼知道這以上是多久，有可能是一千零一年，也有可能是五千年，甚至更長久。總之，沒有一千年以上的工夫，憑著這長明燈的熱量，根本不可能把石壁的石頭薰得炭化。

王婷婷吐出了一句話：「難道這就是火焰山上的火種？」《西遊記》裡講述著孫悟空路過火焰山的時候，那火焰山的火，連雷公雷婆、雨神風神都無可奈何。

王博士叫他那助手去通知其他組的人一起進來，然後叫其他人在原地收集這方面的資料，包括拍照、取樣等。仔細一數，這個地下室居然有七盞長明燈。

王博士叫一人把一盞長明燈取下的時候，眾人居然愣在那裡，再一次面面相覷，面生懼意。

考古記錄顯示，這種古廟燈光或古墓燈光的現象在世界各地都有發現，例如，印度、中國、埃及、希臘、義大利、英國、愛爾蘭和法國等地都出現過。但是很奇怪，凡是親手碰過長明燈的人，不是意外死亡就是身染重疾，又或暴斃而亡。

最讓人奇怪的是，這些死亡的人，都有一個特徵，就是眼睛化成一灘黑水，這黑水具有強烈的腐蝕性，如果不及時處理，會把整個頭顱腐化掉。這就是關於長明燈「黑色詛咒」的由來。

這些考古工作者對於這樣的流傳，又怎麼會不知道呢？他們只當這是一個玩笑，一個惡作劇，可是當他們自己親自面臨的時候，一個個卻是心生寒意。

長風和王婷婷相視了一眼之後，不再理會這些，往深處走去。

眾人才剛剛走進這個地下室，就發現了長明燈這種所罕見之物，裡面不知道還有什麼更奇特的發現。王博士做了一輩子考古工作，自然明白這個道理，招呼著其中兩個頭腦靈活的年輕人，緊緊跟在長風的背後。這兩個年輕人，一個叫小杜，一個叫小關。

地下室有一條幽深的通道，長風走在這個通道的時候，心裡居然有點緊張。這個古墓是跟他息息相關的，他的父親完顏渡劫給他的信上，就是要他親自去化解他們完顏一家受到的詛咒，完成完顏家族的宿命。

長風自然不會理解這個詛咒是什麼，但是有父命在身，他又怎麼敢懷疑？而且，這個古墓還關係到玉玲瓏的秘密，甚至是他們完顏家族的秘密。

第148章

八龍戲珠

果然是「八龍戲珠」！八大石柱就像八條龍一樣，對應著八個方位，由長明燈照射而形成的八條影子，正不斷地晃動著。在場的眾人，都呆呆地望著天花板上的那些影子構成的絕世之作。

在這條幽深的通道裡面，腳步帶起的聲音，每一下都讓他們感到緊張，就連這個一向膽大的王丫頭，也緊張得冒汗。

沒有人知道前面會有什麼東西，說不定突然一個怪物，一口把他們吃了。說不定前面飄出幾個白色或者黑色的東西，飄忽飄忽地對他們冷笑。又說不定，會有一張冷冷的面孔在等著他們，兩顆長長的牙齒、一身紅色絨毛、肌膚硬化的殭屍，在盯著他們的大動脈。

就算沒有這些東西，就算這些是子虛烏有，就算……

別忘了，這裡是古墓，一個至少千年以上歷史的古墓。就算運氣再好，沒有遇到奇怪的邪門玩意，但是，古墓裡面的機關，是不可能不存在的。

王博士和跟隨他的兩個年輕人，戴上了紅外線眼鏡，不停地巡視著四周，小心翼翼地走著，他們手上都同時拉著一條細細的鋼絲。別小看這條鋼絲，一旦有其中一人掉入陷阱的一剎那，其他人就會靠這根鋼絲把他立即拽出來。

終於，沒有遇到邪門玩意，沒有暗器和陷阱，他們平安通過了這個通道。

通道的盡頭是一個八角形的門，中間有兩個很大的魚眼，一黑一白，一看就是兩儀圖。這個門沒有拉把，推也推不開。眾人在四周仔細地尋找，試圖找到門的開關。他們摸遍了這個門周圍的每一個角落，就連通道的頂部和地板都不放過，但是沒有一個能活動的按鈕。

整整找了六十分鐘，五個人，沒有發現一點痕跡。跟隨王博士的小杜疑惑道：「這門是不是死門！」

門怎麼會是死的呢？敲打的時候，裡面還砰砰地響，顯然裡面是空的。更誇張的是，小關居然冒出了一句話：「咱們用炸藥炸掉它！」

這話讓王博士又好氣又好笑地罵了一頓，這樣愚蠢到極點的主意他也能想出來，真是佩服得不行了。

這個古墓是在這個山壁的中間，走了這麼長一段通道，他們現在的位置，肯定是在這山脈的中間。如果用炸藥把這門給炸了，天知道會有什麼樣的結果。

王婷婷白了他一眼，不屑道：「我敢保證，一旦炸藥爆炸，門沒炸壞，你的耳膜會在零點一秒內被聲音給震破！運氣好的話，我們五個人就像是皮球一樣，被那股衝擊波給踢飛到我們進來的地方。運氣不好的，這地下室甚至整個岩洞，轟隆，轟隆就這麼幾下，塌了下來，然後咱們在這裡不斷地搶著氧氣，之後在二十分鐘不到缺氧而死！」

兩句話，說得小關臉上一會紅一會白，王博士瞪了他一眼，怒他丟了自己的臉。

王婷婷又看了四周，一點痕跡都沒有，最後她甚至好奇地用手指去戳那兩個魚眼，也沒有發現有什麼奇特的。她不禁來氣，找了半天，就這麼一個結果，猛地伸腿往那門踢了一腳。

「砰」的一聲，王婷婷低聲哼了一下，那門反彈回來的勁力想來是讓她吃虧了。

而長風卻在王婷婷這一腳之下，瞪大了眼睛。

他把王婷婷拉到自己後面，叫王博士他們三人後退了幾步，然後盤腿坐下，嘴裡叫道：「丫頭，一起來幫忙！」

王婷婷應聲，並排而坐。

兩人嘴裡念念有詞，王博士他們三人相視了一眼，不明白他們在幹什麼。但是，他們感覺到，周圍的氣氛似乎蕭冷、凝重了起來，這種感覺，是從他們兩人身上散發出來的。

王婷婷秀目一睜，嬌喝了一句：「風雷地動令，破！」

長風在同一時間，也喝令了一句：「風雨雷電兵，破！」

兩句口訣在同一時刻脫口而出，八角形門上的黑白兩顆魚眼頓時發出一股紅色的亮光，轟隆隆的石板聲音，就像悶雷一樣突然間響起。

那八角形的門分成八片，縮進了石壁中，這門終於打開了。

兩人起身之後，長風不禁誇道：「丫頭不錯啊，古老頭一向吝嗇，想不到他居然捨得教妳他們茅山派的鎮派之法。」

王婷婷嬉笑了一下，反譏笑道：「吝嗇也要看對象，他要教本小姐，本小姐還不樂意呢。」說完她得意地翹起她的頭，率先走進門裡。

這丫頭第一次到古晶那裡的時候，仿著古晶的手法，硬是把手上的香燭用心火給點燃了，讓眾人大吃了一驚。就連古晶的徒弟馬峻峰，當年學道的時候，要用心火點燃手上的香燭，也整整學了八個月。而她，一個初學這些道法的丫頭，居然在第一次的時候就點燃了，難怪古晶會教王婷婷道術。

進入八角門之後，他們不禁愕然相視，愣在那裡。

他們進入了一個非常非常非常寬廣的地方，用到三個非常，並不為過。

十六盞長明燈在他們進來的時候，顯得更加的耀眼，整個空曠的地方被照得猶如白晝。他們五個人就傻傻地站在那裡，看著四周比體育館還大的曠地，他們突然間感到呼吸困難。而這個曠地的中央有一個很大的石桌，桌子周圍八個大柱子圍起來，柱子上面的長明燈閃爍不已。

王博士拿出數位相機，不停地拍攝，白色的閃光燈在整個曠地裡不斷地閃爍。

終於，有個人開口說話了，驚呼了一聲：「花崗岩，是花崗岩！」整個空曠的地方，四周全部都是花崗岩鑄成。

這些花崗岩被切割得整整齊齊，非常平滑，就像打磨過的大理石一樣。而在他們呼喚之中，又一聲驚呼，讓眾人全身震撼。

這空曠的地方全部都是花崗岩圍起來，仔細一看，每兩盞長明燈下面，就是一個門。連進來的那個門，一共有八個門，八個通道。

每個門都一模一樣，八個門，其中一個，是長風他們從戈壁的岩洞裡面進來的，那其他的七個門會通向哪裡？

這就像一個蜂窩一樣，只要一不小心，他們就會迷路，一旦迷路，很有可能就再也出不去。

王婷婷聽了驚呼，好奇問道：「花崗岩有什麼好奇怪的？先弄清楚這七個通道通向哪裡再說吧。」

「當然奇怪，當然奇怪！」王博士看著四周，嘴裡不斷地說道，「看這花崗岩的大小，一塊最少有四噸重，而且打磨得這麼整齊，這是歷史少見！」

「歷史少見？其他地方有見過嗎？」長風驚訝地問了一句。

王博士點了點頭，嚴肅地看著長風，從牙縫裡擠出了三個字：「金字塔！」

一百四十六點五九米高的埃及胡夫金字塔由大約二百五十萬塊石塊建造而成，這二百五十萬塊石塊由石灰石和花崗岩組成。每塊花崗岩的重量從一點五噸到一百六十噸不等。這些石塊是如此巨大，古人是怎樣開採、運輸，又是怎樣堆砌的呢？迄今爲止，仍然是一個謎。

而這個古墓的裡面，居然也是由花崗岩建築的。

長風看著中間的那個大桌子，心臟不停地起伏，到這裡來，是爲了探尋自己身世之謎，完成完顏家的宿命。

他自然不知道完顏一家的宿命到底是什麼，也不知道爲何自己的身世之謎會在這裡，所謂的詛咒是什麼詛咒。但是，這些原本自己應該知道的東西，一直到現在，才有機會揭開這個謎。

而在這個謎裡面，還摻和了玉玲瓏和羊皮卷在裡面，這幾樣東西的出現，是巧合還是偶遇？如今，這就是他要找的古墓，他腰間的那兩個木牌不斷地震動，這是對這個地方的感應。

他眼光落在中間的那個桌子上，腳步微微地抬了起來，邁步走向那桌子。

王博士他們幾人，在進來的那扇門門口做了記號，以免迷路。看到長風走向中間那個巨大的桌子，也跟隨走了上去。

這個石桌子上面刻著一個很大很大的八卦圖，上面分別標明了乾、坤、震、巽、離、坎、艮、兌各個方位。

八個石柱，正好對應了這八個方位。

王婷婷圍著這些石柱走了一圈，她想起了她那個掛名的茅山派師父古晶所說過的一句話，嘴裡念了出來：「八龍戲珠！」

長風望了這桌子一眼，果然是「八龍戲珠」！

八大石柱就像八條龍一樣，對應著八個方位，由長明燈照射而形成的八條影子，正不斷地晃動著。

八個通道的十六盞長明燈和石柱上八盞長明燈，一共二十四盞，在巧妙的位置上，發揮著不同的功效。

由於交錯的燈光產生的陰影，在光線的互補、重疊中，會聚在這個大曠地的天花板中間，抬頭而看，一個皮球大小的圓形正沒有規則地晃動。

更絕的是，看起來沒有規則的軌跡，跟八根石柱投影成長形的影子絲毫沒有衝突，就像是八條龍在戲珠一樣。

王博士瞪大了眼睛，這是他一輩子以來看到的最絕、最妙、最奇的奇景。

不只是他，就連長風和王婷婷，在場的眾人，都呆呆地望著天花板上的那些影子構成的絕世之作。

時間一點一點地過去，突然間，天花板上的那些影子刷的一下，換了另一種方式，八條巨龍繞著周圍就像是翻江倒海一樣，穿梭不止，那個圓形的柱子也不停地上下滾動。

中國術數的奧妙盡在其中，這是利用了地形、光影的重疊和互補，光線的角度甚至是擺設的方式。這樣巧妙的手段，就算是現在最高明的設計師，也未必能設計得這樣精妙絕倫。

第149章

墓地屍變

那噴嚏打在那乾屍的臉上，符咒因為年月已久，黃色符紙早就風化了，在這一吹之下，變成了灰燼。那具乾屍從石棺裡挺了起來，嘴裡吐出一口淡淡的氣，兩隻黑洞洞的眼睛看得人心裡發毛。

「絕，真絕！」

除了這句話，王博士他們找不到任何一個詞能表達這個時候的心情。長風看了一下八卦圖，又看了一下錶，眼睛掃視著周圍的建築，右手和左手的手指不停地掐算著。他閉上了眼睛，嘴裡不斷地叨咕著。

他睜開眼睛的時候，脫口驚呼道：「原來這樣！」

眾人的眼光都放在他身上，這個滿身充滿著神秘，幾乎可以用怪物來形容的人，此時，正掐指緊張地算著，只見他突然間一停之後，眼睛盯在面前的這柱子上，叫道：「婷婷，左轉四十五度！」

任誰也沒想得到，這個比人身子還粗，看起來沒有十噸也有八噸的大柱，居然能這麼輕易就扭扭轉了四十五度。

其他的七根大柱，在長風的指揮下，也相應地扭轉了它們的方向。

第八根柱子在一聲聲響之後，滿屋的長明燈呼的一下，全滅了，一剎那間，眼前一片黑暗，伸手不見五指。

大家不約而同地驚叫了起來，黑壓壓的一片帶來了短暫的恐懼。但是這些人都是見多識廣的人，都知道在這樣的情況下，越是冷靜，對自己越有幫助。

長風嘴裡哼了兩聲，念念有詞，呼的一聲，在他的手指靈動之下，長明燈又再次亮了起來。原本淡黃色的光線，變得暖暖的，四周牆壁上的花崗岩，在這樣的光線下，亮晶晶地不斷反光。

眾人眼睛一亮，八個通道的門全部消失得無影無蹤，一行五人，儼然就是在墓室裡面，周圍眾多的石棺和木棺，橫七豎八地擺放著。

「幻覺?!」王婷婷第一個反應過來，連連說道，「剛剛那個是幻覺！」

周圍原本豎著的八根大柱，在他們的腳底，用朱砂寫著八個字：乾、坤、震、巽、離、坎、艮、兌。而那來時的入口，就是一個墓門。

王博士他們急忙地探索著這個古墓，對於他們來說，沒有什麼東西比古墓裡面的文物更讓他們瘋狂。

在這個墓室裡面，他們發現了眾多的瓷器和青銅器，這些都擁有了上千年的歷史。有一個長形的銅矛，滿身銅綠，上面長滿了紅色的毛，還有泛白微微發黴。王博士拿著東西，把自己老花鏡擦了又擦，額頭冒汗，最後對長風吞吞吐吐地說道：

「戰……國戰國……時期的銅矛！這是……」

還沒說完，小關對著王博士大叫了一聲：「有個乾屍！」他和小杜兩人擺弄了幾下，居然把那乾屍給抬了起來。

王博士臉色一冷，大聲對他們怒喝道：「放下，放下！不要破壞現場！」

王婷婷和長風相視了一眼，急忙走了過去。鑑於先前在湘西發生的屍變事件，這次他們可不能馬虎。

長風看了一眼，心裡一顫，指著那乾屍對著王博士他們三人說：「千萬不要把它額頭上的符咒撕下來！」

小杜驚訝地看了一下它額頭上的符咒，不明白這符咒有什麼意義，爲何不讓撕下來。點了點頭之後，突然感覺鼻子癢癢，猛地一吸氣，一個大噴嚏打了出來。刷的一下，那噴嚏打在那乾屍的臉上，符咒因爲年月已久，黃色符紙早就風化了，在這一吹之下，變成了灰燼。

這一下，王博士和小關都愣住了，這話剛剛落音沒到幾秒鐘，就出了這事情。

小杜尷尬了一下，疑惑地看著長風，只是他的頭剛剛一抬，兩隻手從下面猛地伸了出來，讓他猝不及防，又硬又冷的五指一下掐在了他脖子上。

他冷哼了一下，兩眼泛白。長風手捏蓮花印，用力拍在這兩隻手的手腕上，吱吱的聲音響起，那手腕生起了一股灰色的煙。所幸，這一下讓掐在小杜脖子上的兩手給鬆開了。

「屍變！你們後退！」長風對他們叫了一聲。王博士他們三個人自然知道發生了什麼事，急忙扶著小杜連連倒退，不經意間撞在背後的一個木棺上，「砰」的一聲，嚇得他們臉色泛青，背上一股涼意冒起。

那具乾屍從石棺裡挺了起來，嘴裡吐出一口淡淡的氣，兩隻黑洞洞的眼睛看得人心裡發毛。長風遙遙一掌打了過去，一團紅光從掌心而出，打在它的胸膛上。

「砰！」

那乾屍被打得摔進棺材裡，把整個石棺震得轟然作響。然而單單這一下，並不足以收服乾屍。這個乾屍被埋葬在這裡已經上千年了，如此長久，屍體不化，自然有點本事。只是這個墓地裡面，一沒有足夠的月光，二沒有像湘西那樣的純陰之地，變成了殭屍，最多也只是一個初級殭屍。

王婷婷「哎呀」叫了一聲，在這乾屍第二次像彈簧一樣整個身子都彈起來的時候，她的美腿已經照著它的頭給劈了下去。

這一腿力道非常霸道，凜厲的勁風啉啉地響。這乾屍被打下去之後，又彈了起來，速度非常快。

但是，它快，王婷婷的腿更快，她眼睛露出一股驚訝之色之後，一個騰空後旋踢，用人類最不習慣的左腿來了個旋踢。

腳尖踢在那乾屍的下頜，又是轟然一聲，那殭屍第三次被打入石棺中，那石棺受力太大，啰嚓一聲，從中裂開了。

考古隊這幾個人瞪大了眼，今天在這兩個人身上感受到了太多太多的驚奇，先是以猴子一樣的速度登了十層樓高的陡峭崖壁，然後破解了那個禦雷咒，再然後就是用神奇得幾乎是傳說中的「法術」，把通道的門打開。而如今，這個看起來弱不禁風的小女子的身手，居然有開天破地之力。

這連續的兩腳產生的力道，少說也有三百公斤，要是打在一頭牛身上，鐵定把那牛的牛骨給打折。

王博士背心濕汗淋淋，終於知道爲什麼老劉堅持要請長風來到西安協助他們，也終於知道，特種部隊的精英分子，能徒手在一分鐘內放倒二十五個職業軍人的刀鋒領隊任天行，爲什麼會對這個人如此敬佩。他在這一刻，就像當年老劉一樣，好奇、驚奇、怪異的眼光全部放在長風的身上。

乾屍因爲符咒化成灰燼而得到了解脫，在王婷婷打擊下，不斷地摔倒，然後又蹦了起來，又被打倒，沒有一絲感覺。

長風沒有出手，微笑著抱手看著王婷婷，看看這個丫頭的身手達到了怎樣的境界，看看這個古晶的掛名女弟子，學到了他多少功夫。

王婷婷打得手腳酸麻，這是她跟王大海師父學功夫之後，第一次打得這麼辛苦，第一次打得這麼痛快。有個不會死不會痛的殭屍給她當肉彈，這是求也求不來的。

只是這殭屍被打多了，多少也有點反應，乾癟得沒有任何血色，看起來就像是曬乾了的牛皮一樣的手，居然在它躲避的時候，突然伸長了三尺多，五指就像鋼戳一樣，指甲又黑又捲地朝她嫩白的臉蛋上掃來。

這個突變，就連長風也想不到，實在太快了。

「天地無極，乾坤借法！賜金剛不壞身，急急如律令！」王婷婷驚叫了一聲，在躲避不及的時候，乾脆就不再躲避，嘴裡喝了一句咒語，猛地把頭直接撞了上去。

眾人都失聲叫了一下，如果這一下被殭屍抓住，那漂亮的臉蛋估計就要完了。

可是出乎他們想像的是，王婷婷的頭跟那殭屍的爪接觸的一刹那，整個人就像銅像一樣，「噹」的一聲，隨後就是骨頭斷裂的咔嚓聲。

那殭屍的五指居然被她這一撞給撞得粉碎！

要是被這一抓給抓中，自己豈不是破相了？王婷婷心裡一想之後，怒氣大起，捏了一個印訣喝道：「讓你灰飛煙滅。」說罷居然念起了風雷地動令。

長風臉色一冷，對王婷婷喝道：「不要！」身影一閃，打斷了王婷婷，掌心顯出一個「卍」字，遙遙打在那乾屍的額頭上。

那乾屍愣了一下，靜止在那裡一動不動。

長風咬破了食指，用血在自己的左掌心上寫了一道符咒，嘴裡念著口訣，打在它臉上。那道符咒閃出一道光之後，沒入它額頭裡。

「爲什麼不讓我把它收拾乾淨？」

「萬物均有靈性，何必趕盡殺絕？再說，它也沒作過惡！」長風看了王博士一眼，對他們說道，「你們也看見了，這些乾屍會屍變，最好不要把這些乾屍帶出去，以免發生意外。」

「小杜，你怎麼坐在那裡？」

「我腿軟！」小杜哆嗦著身子，一臉驚恐，強制性地把自己的心態調整了一下，反問道，「小關你怎麼哭了？」

「我沒哭，我只是流淚！流淚不算哭！」小關顫慄地勉強擠出了一句話，堅持解釋說這不是哭。

這個墓室只是第一間墓室，在這就發生了這樣離奇恐怖的事情，讓這群考古專家嚇得兩腿發軟。

「王老師，我們還是等其他小組的人到了再進去吧，我們連防身的武器都沒有！」看著墓室另一頭的一個門，兩個年輕人膽顫心驚，不知道進入另一個墓室，會有什麼東西在等著他們。

長風和王婷婷不理會他們，兩人先進入了另一個墓室。王博士不愧是老油條，急忙跟了上去，還揮手叫那兩個年輕人跟上，低聲罵道：「笨蛋，裡面就算有再厲害的東西，咱們也不用怕，這兩個高手就能解決。」

兩年輕人想了想，也對，就放心了許多，急忙跟著進去。

讓他們意外的是，第二個墓室非常的乾淨，四四方方的，就連一口棺材也沒有。但是奇怪的是，他們腳底的地板上，畫了很多奇怪的符號。

長風也看不出有什麼不一樣，正要踏入第三間墓室的時候，突然身子一停，對眾人說道：「這間墓室，你們不能進去！」

第150章

完顏渡劫

完顏渡劫眼睛裡充滿了殺意，緩緩地抬起手，指向王婷婷。失蹤了二十多年的父親重現眼前，第一句話就是要殺了自己心儀的女人，無論是誰，都無法接受這個事實……

第三間墓室的門口四周，全部都是奇怪的咒文，這些咒文是用利器給刻上去的，彎彎曲曲的文字深深地陷入花崗岩表層。

長風對王婷婷低聲說了一句：「妳最好也別進去！」

王婷婷白了他一眼，愛理不理地哼了一聲，這個時候要阻止這個好奇的丫頭進去，比登天都難。

長風歎了一口氣，苦笑道：「不知道裡面會有什麼，我就怕萬一……」

「不行！」丫頭瞪著眼睛，一口把他打斷回絕了。

長風臉色漸漸地變得嚴肅了，這丫頭真是不知死活，就連他自己都不敢保證裡面會再遇到什麼。看著這丫頭一臉堅定的樣子，最後還是被迫默許了，以她的性格，就算不讓她去，她也會偷偷地進去，到時候自己不在她身邊，會更危險。

王婷婷噘著嘴，等到長風微微點頭，皺著的臉一下就像開花了似的，長風在她耳邊低聲說了一句：「金剛咒！」說完，兩人身上就像披上了一層無形的膜，考古隊那些人看到這些變化，愣然愣在那裡。

小關震驚了良久，才說道：「跟上去！」他率先進入墓室，右腳剛剛踏入第三個墓室的時候，只感覺到渾身上下被什麼東西給擠壓著，整個身子就要爆裂開，耳膜裡一股咯咯的骨頭鬆散聲音。

呼的一下，他以爲自己完了，眼睛一黑，整個身子被拽出了那個包圍圈，王博士和小杜驚呼的聲音在他耳邊響起。

「沒事，他只是暈了過去！」

「王老師，這個墓室不對勁……」

王博士看著小關，又看了一下墓室門口的文字，以他這幾十年的考古經驗，在考古界來說，絕對算得上是專家中的專家，特別是在古墓這方面，但是他看了半天，才推測出了其中的三個字：「太平門！」

過了半晌，考古隊的其他小組已經陸續地進入了古墓。

進了墓室之後，兩人的腳步放慢，王婷婷突然間感覺到自己昏昏欲睡，腦袋沉沉地壓著自己的脖子。

她想起了長風提醒的話，急忙聚起精神，在心裡默默地念起「金剛咒」。「金剛咒」在她小有所成的念力之下，發揮了作用，心悶的感覺揮之而去，漸漸地感覺到整個身子清明起來。

第三個墓室裡面，沒有棺材，沒有寶石玉器，幾乎什麼都沒有，除了兩盞長明燈在跳動著。

但是，他們發現了一塊石壁上的刻痕，一個遒勁的「勒」字。

王婷婷驚讚了一句，臉上露出敬仰之色，說道：「筆法鋒利流暢，渾然天成，瀟灑豪邁，一氣呵成，寫這字的人一定是個男人，而且生性豪邁，不知道是哪個朝代的英雄！」

「妳懂書法？」長風驚訝地看著王婷婷。

王婷婷點了點頭說道：「只懂得皮毛，我師父也是此中的高手。」

「妳怎麼知道寫這字的人，一定是個男人？」

「從字跡上看，不只是一個男人，還是一個風度翩翩的男人，應該在四十歲左右。你看這個字，落字的時候勁力十足，筆下生花，他一定是全神貫注地把所有精力都放在這個字上。」

長風點了點頭，沒想到這丫頭居然能從中看出點乾坤來。

這丫頭眼光逐漸往下看的時候，驚叫了一聲，說道：「他……他受了傷！傷處應該是胸膛右邊的肩部。」

字跡看起來是一氣呵成，但是下的力道明顯重輕不一，在筆鋒迴轉的時候略輕，而橫筆和豎筆之間又略重。

「能用利器在花崗岩上刻出如此深的字，沒有三十年的內功，根本不可能辦到，以他的身手，如果不是傷得很重，一定不會受影響。能在這個位置受到重傷的，那麼，只能是被刺穿！」王婷婷轉頭看到長風額頭上的一層冷汗，不禁愕然道，「你怎麼了？」

王婷婷的這一聲叫聲，讓長風心裡一痛，他突然間感覺到肩部微微酸楚，那位置跟王婷婷說的一模一樣。

「我不知道，我的肩膀好痛！」長風徐徐地吐出一句話，輕輕地把衣領給扯開，肩部關節之處，一片瘀青，就像是被人刺穿了之後沒有散開的瘀血。

兩人瞪著不可思議的眼睛，看著長風的那個部位，面面相覷。

長風長長舒了一口氣，在手上寫了一道咒文，嘴裡喃喃地念著口訣，手上的那道咒文漸漸地發出了一股紅色的光。這道紅色的光被石壁上的那個「勒」字給吸了進去，整個字就像是顯得洪亮飽滿，「咻咻」的石頭摩擦聲音再次響起，那個石壁漸漸地沒入地下，這居然是一個暗門。

這個暗門在兩人進入之後刷的一下又關上了，兩人嚇了一大跳，提心吊膽地進入了裡面的墓室。

「長風，你看，那邊有兩個人！」王婷婷臉色刷的一下就白了。她指著裡面懸空的兩個人影，不停地顫抖著。

那兩個人，一男一女，男的一頭白髮，盤坐著捏著一個印記，額頭處一個觀音印顯得十分耀眼。而女的，一身白衣，飄飄如仙，只是那張蒼白的臉和黑色的唇顯得格外嚇人。他們兩人居然懸浮在空中，十多塊黃色布匹在他們周圍散落著，上面寫著各種各樣的咒語。

「如來般若咒！」長風身子震了一下。

在這兩個人頭頂的一個偌大的咒文，居然是「如來般若咒」。這個咒文，是完顏家的獨一無二的標誌。

王婷婷瞪大了眼睛看得出神，他們居然能懸空坐著，實在是匪夷所思，但是讓她更驚的是長風最後帶著哭腔的兩個字：「父親！」

這個男的居然是長風的爸爸。

就連長風也不敢相信，失蹤了二十多年的父親，就盤坐在這裡。要不是他看到

脖子上的那顆痣，要不是還有個「如來般若咒」，他真不敢相信，失蹤多年的父親，居然會在這裡。

「父親！」長風哽塞地叫了一聲，直愣愣地呆在那裡，真的不敢相信。

自己的父親在自己不到六歲的時候，把他扔在了布達拉宮，然後留下書信就走了。二十多年轉眼就過，沒有任何消息，就連活佛也不知道他的蹤跡。

從活佛的口裡知道，他的父親是個頂天立地的男子漢，是個憂國憂民、多情善感、風度翩翩的男人。但是，這個男人，不知道爲何居然狠下心拋棄了他的兒子，一去就是二十多年。

這是宿命?這是詛咒?

「父親！」

「你來了!你終於來了！」完顏渡劫嘴唇微啓，額頭漸漸有一絲青煙冒出。

過了好一陣，他的手臂微微地鬆動，突然轉頭看著長風和王婷婷，眼睛裡射出一股精光。

「父親，真的是你！」長風牙齒打顫，不知道是緊張還是激動，兩腳不自覺跪了下來。

「不錯，不錯！當年我來這裡找你爺爺，耗費了三十餘載才能到此。而你居然用了不到三十年，不錯！不錯！哈哈哈！」完顏渡劫仰天狂笑，對長風大吼了一聲，「起來！」

他眼光放到王婷婷身上，一臉莫測地看著她，最後冷冷地問道：「她是誰？」

王婷婷遇到完顏渡劫的眼光，突然間感覺到害怕，不敢抬頭正視著他，低聲說道：「伯伯，我是……」

「長風！」完顏渡劫大叫了一聲，打斷了王婷婷的話，不用她說，他已經知道怎麼回事了，對長風怒喝道，「你可曾記得，你六歲的時候我跟你說過，在你沒有破解我們完顏家的詛咒之前，不許跟任何女人動情?!」

長風身子一震，低聲說道：「記得！」

完顏渡劫臉色冷漠，對長風吼道：「不孝子，你居然犯忌！」

長風心頭一冷，他擔心的事情終於發生了。

「殺了她！」完顏渡劫眼睛裡充滿了殺意，緩緩地抬起手，指向王婷婷。

活佛在他第一次離開布達拉宮的時候曾經告誡過他，在他沒有遇到他父親之前，不許對任何女人動情，一旦動情，就會毀了那女人。

長風原本以爲這句話只是活佛在告誡自己，怕自己太年輕，走入歪道。但是，現在他真正明白了活佛的話。

可是，父親要他殺的人是王婷婷！這個任性野蠻，身手毒辣，滿身的嬌氣，到處惹禍的小丫頭，是爲了他勇闖湘西、鬥殭屍，跟他一起死過活過的女人。要讓他下此毒手，這怎麼可能？

失蹤了二十多年的父親重現眼前，第一句話就是要殺了自己心儀的女人，無論是誰，都無法接受這個事實，長風喉嚨裡悶哼了一聲，一時之間居然說不出話來。

王婷婷失聲驚叫了一下，不明白長風的父親用意何在，在短暫的冷靜了之後，不禁冷笑道：「天下間居然有父親指使自己的兒子殺人，可笑至極。」

「婷婷！」長風低聲叫住了王婷婷，轉頭向他父親說道，「父親！我……」

「殺了她！」完顏渡劫怒吼一聲，打斷了長風的話，絲毫沒有商量的餘地。

第 151 章

宿命和詛咒

這個詛咒叫「萬世陰魔咒」！完顏渡劫的衣服下面，居然能看到白森森的骨架，一顆不停跳動的心臟清晰可見，除了心臟之外，裡面的所有內臟全部都是黑糊糊腐爛的肉……

當完顏渡劫冷冷的眼光落在王婷婷身上的時候，長風已經知道了，這是對王婷婷判了死刑，他斷然拒絕道：「不！」

完顏渡劫似乎早就料到長風有此反應，不禁冷笑道：「自古紅顏多禍水，早料到你下不了手。」

長風臉色一變，還沒來得及提醒王婷婷，他父親的手指微微一動，一股白色的光已經從指尖射向王婷婷。

王婷婷平時雖然看起來大大咧咧，刁蠻任性，但是在這樣關鍵的時候，早就做好了準備，在完顏渡劫下手的時候，手掌已經捏成了一個印訣，對著那一道白光，嬌聲喝令：「風雷地動令！」

「砰！」

兩股力量相撞，王婷婷被他這輕輕的一彈給打得連連後退了七步，差點摔倒。長風瞬間閃了過去，疼惜地扶起王婷婷，對他父親喊道：「父親！」

「道家密法！」完顏渡劫驚訝地看了一下王婷婷，愕然道，「妳也是我們玄門中人？」

王婷婷對於前半句自然能瞭解到，但是後半句說的玄門，倒是沒有什麼概念，看到長風的眼色，腦子一動，順口答道：「那當然！」

完顏渡劫看著王婷婷，仰天大笑了幾聲，說道：「我倒是稱稱妳有多少斤兩！」

長風聽到這話之後，臉色一鬆，悄然放下了心裡的一塊肉，退開幾步感激道：「多謝父親手下留情！」

「著！」完顏渡劫白了長風一眼，五指捏成了一個奇怪的手印痕跡，王婷婷感覺到四周的空氣就像被人捏得變形了一樣，漸漸地向她逼來，不禁臉色大變。

一團空氣比人頭還大，朝她面部壓來，她急忙低頭避開這突如其來的攻擊，轉眼，腰部兩側的兩團空氣又橫插而來。

王婷婷喝令了一聲，嬌影一閃，躲避不及之下，居然用拳腳去抵禦其中的一團空氣，然後借力來了個懶驢打滾，樣子雖然不雅，但是卻躥出了這個奇怪的包圍圈。雖然僥倖脫離，但是她的臉色已經變得蒼白，隱隱露出懼意。

完顏渡劫愣然了好一陣，良久才說道：「少林寺的羅漢拳和北方的十二路譚腿居然能混合在一起用！這是什麼功夫？」

王婷婷偷偷拍手，能讓這個要殺自己的人愕然，不禁有些得意，正想炫耀的時候，被長風使的一個眼色給鎮住了，最後對長風撇了一下嘴，說道：「自然是我師父教我的！」

「你師父？」

「對，我師父叫王大海，我父親花錢請他來的！只教了我半年的功夫！」

「王大海？王大海？」完顏渡劫似乎正搜索著他的記憶，只是這個名字太普通了，怎麼也想不起來有這樣一號人物。

長風微微鬆了一口氣，兩人相視了一眼，對完顏渡劫說道：「父親，婷婷跟我相處，但是我們還是清白之身，不算犯忌吧！」

完顏渡劫嘴裡冷哼了一聲，自言自語地低聲說了一句：「別以為沒動手腳，沒上過床就不算犯忌！」

這一句話說得完顏長風和王婷婷兩人面紅耳赤，這完顏渡劫此時倒是一掃當時兇神惡煞的樣子，臉上露出一絲慈祥，對兩人叫了一聲：「你們過來！」

兩人相視了一眼，老老實實地走了過去，王婷婷原本還握著小拳頭提防著他，腦子一想，他要是真想殺自己，剛剛第一招就可以把自己給解決了，想來這是試探自己而已。

完顏渡劫眉頭一皺，王丫頭這小伎倆早就看在眼裡，心裡苦笑著搖頭。

「給你們太祖師婆跪下！」

「太祖師婆？」兩人心裡驚訝了一陣，跪下之後連行了三次大禮。

三拜九叩之後，兩聲嗡嗚聲，長風身上的兩個木牌飛了出來，懸在空中相互追逐著，最後落在完顏渡劫手上。

完顏渡劫閉上了眼睛，手上的兩個木牌發出一種奇怪的光，最後漸漸淡下去。他沉沉地說道：「祖師婆，狐妖已經出世了，雪女也脫離了禁忌！看來，這一場災難避免不了。」

長風和王婷婷面面相覷，他說的狐妖，赫然就是那個一身白衣嬌媚萬千的雪兒，或者說叫魅姬。而那個雪女，顯然就是從山洞裡出來一臉冰霜的楊落雪。難道，這兩個人，父親都認識？

良久良久，完顏渡劫才開口說道：「六十年了！轉眼就是六十年了！弟子渡劫不才，仍然沒能破他們的詛咒！」

歎了一口氣，這完顏渡劫似乎蒼老了許多，看著長風和王婷婷，說道：「長風，丫頭，你們聽好了，這件事情，關係到你們兩人，但是牽連甚廣。」他有意無意地看了一下王婷婷，徐徐說道，「一天沒有破除我們完顏家族的詛咒，你們一天不能成婚！三十五歲以前，如果你不能破解詛咒，你一定要找一個沒有感情的女人，生個孩子傳宗接代，送到活佛那裡去培養成才。」

「啊？」長風和王婷婷異口同聲地驚呼了一聲，不敢相信這話是從完顏渡劫嘴裡說出來的。

「凡是完顏家的人，一天不能破除詛咒，就註定遵守一天。」完顏渡劫嚴肅地看著他們倆，眼神逐漸淡了下來，長歎了一口氣。

長風懋在心裡二十多年的事，一直都找不到解釋，如今，他逐漸感覺跟這事情有關，他想起了他母親，心裡一冷，哽咽道：「我娘……」

「我對不起你娘！她是個好人！」父親那微弱的聲音在他耳邊圍繞著。

長風記得，那一年，他才三歲，他永遠也忘不了那一天。

幾個專門拐賣孩子的歹徒，把他強行給抱上了車，他母親光著腳丫在後面不停地哀叫，那種撕心裂肺的痛苦聲音，遠遠地被拋在車子後面。

後來他們遇到了員警，再後來，他依稀記得自己發怒了之後，這輛車突然間離地而起，衝下了山崖。

在爆炸聲和熊熊的烈火中，他拖著受傷的小腳丫，蹣跚著從火海裡爬了出來，沿著母親哀叫的方向不停地爬。一個三歲的小孩，在黑夜裡，居然徒手從三十多米的山崖底下爬了上來，一邊往回走，一邊叫喊著他的母親。後來，他終於看到了哭得昏倒在一邊的母親，再後來，他第一次看到了他的父親。

完顏渡劫突然間扯開了他身上的那件灰得發白的衣服。當長風和王婷婷看到他身上的印記的時候，不禁驚恐大叫，目瞪口呆。

「這就是我們受到的詛咒！」

再恐怖的惡鬼，再噁心的遊魂，再厲害的殭屍，長風沒一樣沒有接觸過，可是，沒有一件事能讓他感到如此的驚恐。

王丫頭夠瘋夠狂了，第一次遇到長風，第一次見到了找替身的鬼，都沒有感到這麼恐怖，取而代之的是驚奇、好奇，就連遇到五行人，遇到殭屍，她也毫不變色。可是，偏偏這一下，他們兩人都嚇傻了。

完顏渡劫的衣服下面，居然能看到白森森的骨架，骨架裡面，一顆不停跳動的心臟清晰可見，心臟周圍發著金光，除了心臟之外，裡面的所有內臟全部都是黑糊糊腐爛的肉……

「父親，你……」長風驚呼了一聲，他知道他父親在幹什麼，是的，他父親已經是個死人，現在不死，是因爲他用了玄門最忌諱的「借命大法」。

完顏渡劫哈哈大笑，他指著自己的身子說道：「看到了吧，這就是他們的詛咒，三十五歲之前，如果不能破解詛咒，每一個完顏家的後裔都會變成我這樣！他們好狠毒的心。」

「但是，我們完顏家是有使命的，就算變成這樣，我們也不能死。就算我們不能投胎，就算我們的靈魂在死後煙消雲散，我們也要用『借命大法』完成我們最後的使命。」

他指著身邊的那個臉色蒼白的女人，說道：「如果我們破解不了詛咒，我們就要用至高無上的法力，去喚醒太祖師婆，一直到下一代人出現。」

這個祖師婆，又或者叫太祖師婆、太太太祖師婆的女人，不知道在這裡多少歲月，就連完顏渡劫的父親、爺爺、太爺爺、太太爺爺……，都不清楚這個女人有多少歲數。但是，每一代的人，在三十五歲之前如果破解不了詛咒，那麼就只能找個沒有感情的女人生一個孩子，然後把孩子送到布達拉宮，自己再回來這裡，用「借命大法」，以自己的靈魂爲交換條件，撐到下一個三十五歲的人來交替的時候，才煙消雲散，不能投胎。

「兒子，我的護心真氣在不斷地被這些污穢的東西侵蝕，時間已經不多了！我的一切希望都放在你身上，如果你能破了他們的詛咒，你就能救你自己，你就能喚醒祖師婆婆。到時候，我們完顏家的一切事情，你都會明白。」

「伯父，這個詛咒到底是要怎麼破？」王婷婷臉色暗淡，這樣的詛咒實在太恐怖了，她根本不敢想像，這樣的事情如果發生在長風身上，她會怎麼辦。

「這個詛咒叫『萬世陰魔咒』！」

●更多精采內容在《活祭7：屍王爭霸》，請繼續閱讀

【智慧大師系列】

001 改變生活，才會快活	凌　越　著	180 元
002 別跟驢子打架	王鎮輝　著	180 元
003 別為小事傷腦筋	凌　越　著	180 元
004 別吃啞巴虧	塞德娜　著	180 元
005 別跟驢子過不去	王鎮輝　著	180 元
006 別想太多，先做再說	凌　越　著	180 元
007 用機智代替憤怒	塞德娜　著	180 元
008 用幽默輕鬆溝通	凌　越　著	180 元
009 不要教驢子跳舞	王鎮輝　著	180 元
010 用幽默化解衝突	凌　越　著	180 元
011 用機智代替幼稚	塞德娜　著	180 元
012 騎你的驢子，別讓驢子騎你	王鎮輝　著	180 元
013 用幽默化解冷漠	凌　越　著	180 元
014 圓融處世幽默藝術	塞德娜　著	180 元
015 感謝嘲笑你的人	凌　越　著	180 元
016 聰明簡單，糊塗困難	王鎮輝　著	180 元
017 用冷靜面對困境	塞德娜　著	180 元
018 愛情沒有誰對誰錯	凌　越　著	180 元
019 學會跟驢子相處 2	王鎮輝　著	180 元
020 把幽默用得更靈活	凌　越　著	180 元
021 你相信的，都是錯的	文彥博　著	180 元
022 有想法，也要有做法	塞德娜　著	180 元
023 王建民的智言智語	王國華　著	180 元
024 先防君子，再防小人	王鎮輝　著	180 元
025 忘掉過去，才有未來	凌　越　著	180 元
026 罵人不必用髒話	文彥博　著	180 元
027 越難過，越需要幽默	塞德娜　著	180 元
028 放下昨天，才有今天	凌　越　著	180 元
029 學君子做人，學小人做事	王鎮輝　著	180 元
030 用舌頭代替拳頭	文彥博　著	180 元
031 別幫猴子割雙眼皮	塞德娜　著	180 元
032 急著吃你的棒棒糖	Lene・琳恩　著	180 元
033 對不起，騙到你	王鎮輝　著	180 元
034 感謝生命中的挫折	凌　越　著	180 元
035 用幽默代替沉默 2	塞德娜　著	180 元
036 你的單純，還是愚蠢？	王鎮輝　著	180 元

普天出版社圖書目錄

037 感謝折磨你的事　凌　越　著　180 元
038 幽默的人比較受歡迎　塞德娜　著　180 元
039 人生兩好三壞　文彥博　著　180 元

【現實大師系列】

001 把人看到骨子裡　王　照　著　180 元
002 英雄本來就很詐　王國華　著　149 元
003 做人純真，做事深沉　王鎮輝　著　180 元
004 你不能不防的好人　王國華　著　180 元
005 厚臉皮，好運氣　王　渡　著　180 元
006 先做小人，再做君子　王鎮輝　著　180 元
007 人性本來就醬子　王國華　著　180 元
008 厚著臉皮，硬著頭皮　王　渡　著　180 元
009 找小人的麻煩　王鎮輝　著　180 元
010 對你老實的人，不一定老實　王國華　著　180 元
011 老實過頭，小心變豬頭　平井澤　著　180 元
012 能力要夠，臉皮要厚　王鎮輝　著　180 元
013 讓小人去傷腦筋　王　渡　著　180 元
014 把壞事變好事　公孫龍策著　180 元
015 做人純真，做事深沉 2　王鎮輝　著　180 元
016 別為小事鬱卒　凌　越　著　180 元
017 把壞人變貴人　公孫龍策著　180 元
018 把心機用在正確的時機　王鎮輝　著　180 元
019 奸詐量販店　公孫龍策著　180 元
020 把人看到骨子裡 2　王　照　著　180 元
021 做人厚道，做事厚黑　王鎮輝　著　180 元
022 有點奸詐不犯法　公孫龍策著　149 元
023 把心機耍得不露痕跡　王鎮輝　著　180 元
024 有點狡猾有點詐　公孫龍策著　180 元
025 自信總比自卑好　陳維都　著　180 元
026 把聰明用得更精明　王鎮輝　著　180 元
027 有點老實有點毒　公孫龍策著　180 元
028 別為小事鬱卒 2　凌　越　著　180 元
029 做人厚道，做事厚黑 2　王鎮輝　著　180 元
030 有點老實有點毒 2　公孫龍策著　180 元
031 改變思路，才有出路　王　渡　著　180 元
032 學會跟驢子相處　王鎮輝　著　180 元
033 別為蠢蛋抓狂　公孫龍策著　180 元

034	用幽默代替沈默	塞德娜 著	180 元
035	別聽狐狸講道理	Chris Kazumoe 著	180 元
036	別幫鱷魚擦眼淚	Chris Kazumoe 著	180 元
037	我知道你正在説謊	公孫龍策著	180 元
038	做人寬容，做事圓融	楚映天 著	180 元
039	要當老虎，別當老鼠	Chris Kazumoe 著	180 元
040	沒知識，也要懂得掩飾	王 渡 著	180 元
041	做人寬容，做事圓融 2	楚映天 著	180 元
042	做人用心，做事用腦筋	公孫龍策著	180 元
043	站著做人，跪著做事	公孫龍策著	180 元
044	罵人不必帶髒字	文彥博 著	180 元
045	懂得看臉色，人生更出色	楚映天 著	180 元
046	沒心機，也要會看時機	楚 映 天 著	180 元
047	抬頭做人，低頭做事	公孫龍策 著	180 元
048	把馬屁拍到心坎裡	文 彥 博 著	180 元
049	動腦做人，動手做事	公孫龍策 著	180 元
050	別把腦袋放在口袋	文彥博 著	180 元
051	我知道你在搞詭	公孫龍策 著	180 元
052	小人就在你身邊	公孫龍策 著	180 元
053	罵人不必帶髒字 2	文彥博 著	180 元
054	不要用問題解決問題	魯道夫 著	180 元
055	做人就怕太認真	魯道夫 著	180 元
056	做人當然要精明	公孫龍策 著	180 元
057	賭氣，不如爭氣	江又帆 著	180 元
058	越失意，就要越努力	楚映天 著	180 元
059	苦惱, 不如動腦	公孫龍策 著	180 元
060	壞的開始, 也是成功的一半	楚映天 著	180 元
061	做人可以心軟, 做事不能手軟	王 渡 著	180 元
062	有點奸詐不犯法 (2)	公孫龍策 著	180 元
063	壞事沒你想的那麼壞	楚映天 著	180 元
064	做人要厚, 做事要黑	王 渡 著	180 元
065	我知道你是什麼貨色	王 照 著	180 元
066	先搞定人，再搞定事情	公孫龍策 著	180 元
067	罵人不必帶髒字 3	文 彥 博 著	180 元
068	耍點心機，做事更順利	陳 玉 鳴 著	180 元
069	把人看透透	王 照 著	180 元
070	小人就是你的貴人	公孫龍策 著	180 元
071	得了便宜又賣乖	公孫龍策 著	180 元

文學新樂園

16

活祭之 6：宿命與詛咒

作　　者　通吃小墨墨
社　　長　陳維都
企劃總監　王國華
美術總監　黃聖文
文字編輯　陳奕君
出 版 者　普天出版社
台北縣汐止市康寧街 169 巷 21 號 9 樓
TEL / (02) 26921935 (代表號)
FAX / (02) 26959332
E-mail：popular.press@msa.hinet.net
http://www.popu.com.tw/
郵政劃撥 19091443 陳維都帳戶
總 經 銷　旭昇圖書有限公司
台北縣中和市中山路二段 352 號 2 樓
TEL / (02) 22451480 (代表號)
FAX / (02) 22451479
E-mail：s1686688@ms31.hinet.net
法律顧問　黃憲男律師
電腦排版　巨新電腦排版有限公司
印製裝訂　久裕印刷事業有限公司
出 版 日　2008 (民 97) 年 2 月 20 日 第 1 版 1～6 刷
ISBN◉978-986-6857-93-5 條碼 9789866857935

國家圖書館出版品預行編目資料

活祭之 6：宿命與詛咒／
通吃小墨墨著. —第 1 版. —：台北縣, 普天
2008〔民 97〕面；公分. - (文學新樂園；16)
ISBN◉978-986-6857-93-5 (平裝)